大川隆法
RYUHO OKAWA

# 「週刊文春」とベルゼベフの熱すぎる関係

## 悪魔の尻尾《しっぽ》の見分け方

本霊言は、2012年2月23日幸福の科学総合本部にて公開収録された。

## まえがき

他人《ひと》の不幸を見て喜ぶ人が悪人で、他人の不幸を増幅させることを仕事とする者が悪魔である。こうしてみると、週刊誌の大部分は悪魔の支配下にあり、言論によって「悪魔の民主主義」の実現に加担《かたん》しているといえよう。

私は本心から、週刊誌の編集部に勤める人たちに、正しい信仰を持つことを勧《すす》める。あなた方が正義を保ち、地獄に堕《お》ちないためのお守りの如きものだからである。

本書はいささか変則的であるが、『「週刊文春」とベルゼベフの熱すぎる関係』――悪魔の尻尾《しっぽ》の見分け方――という、やや週刊誌的な書名とした。週刊誌の愛読者層にも警鐘《けいしょう》を鳴らすためである。

本文中、個人批判に見える箇所があっても、私たちが、彼らを救いたいという慈悲の心で叱《しか》っていることを悟ってほしい。

二〇一二年　二月二十四日

幸福《こうふく》の科学《かがく》グループ創始者兼総裁《そうししゃけんそうさい》　大川隆法《おおかわりゅうほう》

「週刊文春」とベルゼベフの熱すぎる関係　目次

## 第1章　「週刊文春」編集長・島田真《しまだまこと》氏守護霊インタヴュー

二〇一二年二月二十三日　収録

# 第2章　ベルゼベフに「週刊文春」との関係を訊《き》く

二〇一二年二月二十三日　収録

「霊言現象《れいげん》」とは、あの世の霊存在の言葉を語り下ろす現象のことをいう。これは高度な悟りを開いた者に特有のものであり、「霊媒現象《れいばい》」(トランス状態になって意識を失い、霊が一方的にしゃべる現象)とは異なる。

また、人間の魂は六人のグループからなり、あの世に残っている「魂の兄弟」の一人が守護霊を務めている。つまり、守護霊は、実は自分自身の魂の一部である。

したがって、「守護霊の霊言」とは、いわば、本人の潜在意識にアクセスしたものであり、その内容は、その人が潜在意識で考えていること(本心)と考えてよい。

# 第1章

# 「週刊文春」編集長・島田真《しまだまこと》氏守護霊インタヴュー

二〇一二年二月二十三日　収録

質問者

酒井《さかい》太守《たいしゅ》（幸福の科学理事長 兼 総合本部長）

里村《さとむら》英一《えいいち》（幸福の科学専務理事 兼 広報局長）

綾織《あやおり》次郎《じろう》（幸福の科学理事 兼「ザ・リバティ」編集長）

※役職は収録時点のもの

# 1　「週刊文春」の記事の霊的背景を探る

## 大川きょう子を持ち上げる記事を掲載した「週刊文春」

大川隆法　今日は、『「週刊文春」とベルゼベフの熱すぎる関係――悪魔の尻尾《しっぽ》の見分け方』という題で、霊言を収録したいと考えています。

昨年、『「週刊新潮」に巣くう悪魔の研究』（幸福の科学出版刊）を出したところ、多少、効果があったのか、新潮社側は少しこたえているようではあります。

その後《ご》、「週刊朝日」が当会に関する記事を載せたときにも、小さな記事ではありましたが、二回目だったので、「これは、一度、叩《たた》いておいたほうがよい」と思い、「週刊朝日」の編集長や記者などの霊言を収録して発刊したところ（『現代の法難④』〔幸福の科学出版刊〕参照）、それなりの効果はあったと思います。

ただ、「週刊文春」は放置していたのですが、本日発売の「週刊文春」では、当会のことが取り上げられています。その記事自体は、一見、取るに足りないようなものには見えるのですが、幸福の科学を甘く見ており、なめているか、勘違いしているような印象を受けなくはありません。

「気になるオンナの謎《なぞ》を解く!」という特集記事の一つとして、「大川きょう子(46)陸前高田《りくぜんたかた》で『160カ所トイレそうじ』」と称して、大川きょう子が瓦礫《がれき》の前に立っている写真が載っていますが、それだけでなく、彼女の今回の行動とは関係がないのに、私の顔写真まで一緒に載せられています。

その記事では、一見、彼女をほめている記事のようにも見える書き方がされているのですが、その次の記事の見出しは、「沢尻エリカおっぱいポロリ　エイベックス幹部にグーパンチ!」であり、ほかにも、くだらない記事をたくさん並べてあるので、〝お笑い〟のように扱われています。

そのため、一見、本人の味方をしているかのように見えても、一連の動きを最初からずっと見ている私には、「裏では、そうでもないのではないか。巧妙に誘導しながら、教団のほうの分裂、攪乱《かくらん》を狙《ねら》っているのではないか」と感じられるのです。

そもそも、一昨年《おととし》の終わりごろ、「週刊文春」に掲載された、「大川隆法夫人が警察に駆け込んだ」という記事あたりから事が始まったのです。

当時、私の自宅を教団に寄付したため、教団から「教団所有のものになったので」という趣旨の申し入れをしに行ったところ、彼女は警察に駆け込み、それを、「週刊文春」が、暴力団がやってきたかのような扱いで書いたのが始まりです。

そのあと、「週刊文春」と「週刊新潮」が交互に当会に噛《か》みついてきましたし、やがて、「週刊朝日」までもが参入してきたので、当会は週刊誌に対する〝モグラ叩き〟を始めたのです。

したがって、「週刊文春」の今回の記事には、一見、善意のように見せつつも、そうではない面があると思います。

「週刊文春」に対しては、見逃していたわけではないのですが、次のような事情もあって、やや手加減をしていた面があります。

以前、紀尾井町《きおいちょう》ビルに当会の事務所があったとき、その隣に文藝春秋《ぶんげいしゅんじゅう》の社屋がありました。そのころ、「講談社フライデー事件」（注。一九九一年に講談社が「週刊フライデー」誌上で幸福の科学を誹謗《ひぼう》・中傷し、それに対して信者たちが抗議した出来事）が起きたため、当時の「週刊文春」の編集長で、名編集長と言われた花田紀凱《はなだかずよし》さんから、私はインタヴューを受けたのです。

そのとき、私は、「仕事として、週刊誌が悪口を書かないわけにはいかないだろうから、当会の記事を書かせてあげるけれども、お隣同士なのだから、せめて中立の姿勢ぐらいは保ってほしい。講談社と当会を中立の立場で見て、〝弾〟を撃ってほしい」と言ったところ、「週刊文春」は、講談社の悪口と当会の悪口を、毎週、交互に書いていました。彼は、私の申し入れのとおりにしてくれたのです。

あれから二十年がたち、最近、花田氏は私の大講演会にも来て、懐かしがってくれたりしているようです。

そういう経緯もあったため、「週刊文春」に対して、当会の対応には少し手ぬるい面がありました。また「週刊文春」には、当会に関する記事を書く際に、「週刊新潮」よりは少しだけ抑え気味に書く部分はあったので、向こうにも、かつての考え方がまだ残っているのかもしれないと思っていたのですが、今回の記事に関しては、「何かを狙っているな」という予感がします。

大川きょう子そのものの生霊《いきりょう》は、月に十回以上は私のところに来ていると思うのですが、本日、「週刊文春」が出るに当たって、昨日《きのう》の夜、私のところに来ていたのは、彼女の生霊ではなく、別のもの（悪魔）であるように感じられました。「それが、そろそろ、出口を探して、ここ（週刊文春）を一つ狙っている」ということを私は感知しています。

ただ、これだけでは、まだ判断の材料が少なく、十分ではありません。当会はモルモン教の霊査もするぐらいなので（『モルモン教霊査』『同Ⅱ』〔幸福の科学出版刊〕参照）、今回の記事の霊的背景を霊査できないわけはないのです。そこで、「背後に何かを狙っているものがあるのかどうか」ということを、今、調べてみたいと思います。

## 今回の記事の目的は、当会の信者たちを揺さぶること

大川隆法　「大川きょう子　陸前高田で『１６０カ所トイレそうじ』」という、今回の記事だけを見れば、当会が十分には行《おこな》っていないことを、教祖の奥さんが行っている

ように読めるので、彼女をほめているように見えなくもありません。また、八千万円も経費を使い、地元の人を雇ったことを、よいことでもしたかのように書いてあります。

しかし、「この八千万円は、いったい、どこから出ているか」ということも考えてもらわなくてはいけません。

また、彼女本人としては、自分がナイチンゲールの生まれ変わりであることの証明がしたくて（注。大川きょう子は、自分の過去世をナイチンゲールだと自称している）、やっているのです。それは分かっています。

そして、悪魔は、「当会の弱点をつかんでいる」と見ているのでしょう。「教祖の夫人を手中に収めていれば、最大の弱点を、かなり長く攻め続けることができるのではないか」と見ていると思うのです。

これについては、私には、すでに経験があります。実の兄や父親も、生前、そういう悪魔に入られました。こういう、関係を切れないところを狙うと、ずっと攻め続けることができます。柔道の絞め技のようなもので絞められ続けるのです。

弟子のほうに悪魔が入った場合には、その弟子を遠ざけたら、それで終わりです。影響を与えることができない部署に異動になると、その人は悪魔とは関係がなくなるのですが、肉親の場合には、切れない部分がどうしても残るので、悪魔にとっては、そのへんが攻めやすいのです。

こういう目で仏陀伝《ぶっだでん》を見てみたら、そこに書かれていることの裏の意味がよく分かると思います。肉親という、〝切れない通路〟を伝って攻めると、仏陀の悟りや救済力のところを止められる武器になるのです。

これは、現在ただいま起きていることの一つだと思っていただいて結構です。

今回の記事には、「教団と夫の大川隆法総裁を名誉毀損《めいよきそん》で訴え、教団と完全に決裂したきょう子さんは、いま、氷点下の寒さが続く岩手県陸前高田市で被災者の支援活動を続けている」と書いてありますが、雪が降っていて寒いので、彼女は、実際には、ほとんど現地に行《い》っていないようです（笑）。

また、「教団と完全に決裂した」という事実もありません。彼女は、弁護士を通し、婚姻費用と称して月六十万円を要求しており、それを私は払っているのです。

しかも、私が全額を負担し、十億円以上も出して建てた家は、現在、教団に寄付してあるのですが、彼女は、そこに今でも堂々と住んでいて、出ていかない状況です。裁判で、家から出ていくように言っているのですが、出ていかずに居座っています。これも反撃の一つなのではないかと思います。

教団の所有物件になっている、私の元自宅に、彼女が居座り、離婚後、独立して何か変なことを始めるのだとしたら、大変です。教団のお布施や印税を中心として得た、私有財産を使って建てた家ではありますが、それが他の目的で使われるのであれば、信者の意にも適《かな》いませんし、教団にとってもよくありません。しかし、そういう傾向が見えるので、「これはよくない」と私は思ったのです。

このように、「完全に決裂した」と言いつつ、その裏には甘えがあるように思われます。

悪魔に狙われた場合、その人には、ほとんど、名誉欲や名声欲、地位欲、権力欲、財産欲などがあります。今までの例から見てそうです。名誉欲の部分は、宗教関係者にとって最後まで残る課題でもあります。

今回、彼女は、「決裂」と言いつつも、かなりの額を取ろうとして、それを要求しているわけですが、「そのお金をうちから取ったら、そのあと何をするか」ということは、私には想像がついているので、そのお金を渡すわけにはいきません。

この記事には、「今回の支援活動で彼女が八千万円を使った」と書かれていますが、彼女は、教団から給料（僧職給）として貰《もら》っていたお金の一部を使ったのです。彼女は、従来、私のお金だけを使い、自分のお金は蓄えていたわけです。結局、彼女は、事業を起こしたわけでも何でもなく、単にお金をばら撒《ま》いただけです。

「週刊文春」側は、何か意図があって、今回の記事を書いたはずです。当会は、東日本の救済に入らなかったわけではなく、しっかりと救済活動をしたので、彼らは別の意図を持っているのではないかと思います。

基本的には、「聖女のような活動をしてる人をいじめている教団は、はたして正義なのかどうか」というようなかたちで、見方を引っ繰り返し、当会の信者たちを揺さぶるのが目的であろうと思います。「ここがウィークポイントだ」と思って攻めているのではないでしょうか。

これまで「週刊文春」に対しては手加減をしていましたが、裏に、何かを狙っている者がいることを私は感知したので、「そろそろ調べるべきときかな」と感じています。ただ、これは、いちおう調べてからでないと結論が出せません。モルモン教と同じで、調べてみないと分からないものなのです。

では、何から始めましょうか。

里村　島田編集長の守護霊からでしょうか。

大川隆法　編集長？　プロフィールは何か持っていますか。

里村　実は、この人のデータがほとんどないのです。

大川隆法　データがない？

里村　はい。

酒井　雑誌の裏に名前が書いてあるぐらいです。

大川隆法　では、名前しか分からないのかな？

酒井・里村　はい。

大川隆法　こういう、顔を出さなくてすむ人はいいですねえ、本当に。

里村　はい。花田元編集長とは全然違って、とにかく表には出ない人です。

大川隆法　悪いことを考える黒幕型の人は、みな、そうですよ。

里村　はい。

大川隆法　うーん、島田……、これは「まこと」と読むのですか。

里村　下の名は「まこと」です。島田真編集長です。

酒井　プロフィールは、一切、どこにも出ていないようです。

大川隆法　うーん。

里村　関係者にも少し訊《き》いてみたのですが、「分からない」とのことでした。

大川隆法　まあ、しょうがないですね。それでは調べてみましょうか。私から逃れることができる人間がいると思うなら、それは甘いと思います。

まず守護霊をチェックしますが、何かほかの者が来ているとは思うので、そちらは、のちほど出そうと思います。守護霊が本人を指導している状態か、あるいは、もう、違う者が憑《つ》いているのかは分かりませんが、まず守護霊をつかまえてみましょう。

酒井　はい。

大川隆法　マスコミも、ときどき批判を加えられたほうが、よくなることがありますからね。

講談社とは長く戦いましたが、あそこは、最近、少し路線がよくなっているように感じられます。

酒井　そうですね。

大川隆法　また、『「週刊新潮」に巣くう悪魔の研究』という本を出したら、「週刊新潮」には、少しだけこたえているような面も一部あるようです。

それから、『現代の法難④』を出したところ、朝日系の週刊誌等にも、ちょっとこたえたところがあるようですね。

酒井　ええ。

大川隆法　さらに、別な面としては、最近、当会の出している霊言集が、非常にジャーナリスティックで、際《きわ》どいところに球を投げており、制球がよくてストライクを取っているので、「それに対してマスコミが、少々、嫉妬《しっと》している」という感じを、受けなくはないのです。やっていることが当たってきていますのでね。

例えば、日銀総裁の守護霊の霊言を出したら（『日銀総裁とのスピリチュアル対話』〔幸福実現党刊〕参照）、結局、日銀は、当会が言っている方向に動かざるをえなくなって、一パーセントのインフレ目標を設定し、資金供給を増やし始めました。

さらに、今日（二月二十三日）の新聞を見ると、オバマ大統領は、「法人税の最高税率を三十五パーセントから二十八パーセントに下げる」という方針を打ち出してきていますが、これも私の予想どおりです。日本は増税路線で今年度末まで突っ走るつもりでいるのに、あちらは最高税率を下げてきたわけです。

里村　はい。

大川隆法　財政赤字はアメリカのほうが日本よりはるかに大きいのですが、失業者が八・数パーセントも出ている段階で、増税などかけられるはずがありませんのでね。そのようにアメリカは減税に入りましたが、結局、当会が言っている方向にきちんと動いているわけです。

したがって、日本の民主党政権は、増税についてもまた立ち往生をして、完全に浮き上がってくるだろうと思います。まあ、彼らは無明の人々ですのでね。

マスコミの人たちは、人の悪口を言って批判することを仕事にしていますが、自分たちが批判されることは滅多にないのです。見えないように隠れて闇討《やみう》ちをしたりしていますからね。しかし、多少、批判されることによって、よくなることもあるでしょう。

私は「言論の自由」を認めていないわけではありません。中国のように完全に統制をかけるやり方は好きではないのですが、言論であっても、悪魔などに悪用されるような言論は、よろしくないと思います。

やはり、言論の質が民衆の質を決めるのです。その意味でのウォッチャー（監視役）は必要であり、マスコミ等の言論に対しても、適切な言論による批判はあってもよいのではないかと考えています。宗教であるからこそ、別の立場で批判できる面もあると思うのです。

今回の「週刊文春」の記事の論調には、いわゆる伝統宗教系統のボランティア等が被災地に入って活動していることを「善」とし、そうでないものを「非」とする考えが入っていると思います。つまり、マスコミの常套《じょうとう》的な持ち上げ方をしているわけですね。

彼らには善悪の基準が分からないので、基本的に、そのようになっているのだと思いますが、一部、嫉妬も入ってきていると感じています。

## 2 「週刊文春」編集長守護霊を呼ぶ

### 闇討《やみう》ちを恐れている島田編集長守護霊

大川隆法　それでは、まず、「週刊文春」の編集長である島田真氏の守護霊をお呼びして、どんな考えを持っている人なのかを調べてみたいと思います。

「週刊文春」編集長、島田真氏の守護霊を招霊《しょうれい》いたします。

「週刊文春」編集長、島田真氏の守護霊よ。幸福の科学総合本部に来たりて、その真意を語りたまえ。

そして、本人をどのように指導しているのか。幸福の科学についてどのように考えているのか。また、「大川きょう子ネタ」をどのように使おうと思っているのか。そのへんの真意について、マスコミとして、あるいは、マスコミ人を指導する者としての本音を語っていただきたいと思います。

守護霊であるかぎり、私の前で嘘《うそ》はつけないはずです。どうか、幸福の科学総合本部に来たりて、その本心を語りたまえ。
島田真編集長の守護霊、流れ入る。島田真編集長の守護霊、流れ入る。

（約二十秒間の沈黙）

里村　おはようございます。島田編集長の守護霊でいらっしゃいますか。
島田守護霊　何が「おはようございます」だよ。
里村　ええ、すみませんね。今日は、おそらくおやすみのところ……。
島田守護霊　ええ？　何が？
里村　今日は「週刊文春」の発刊日ですので、おやすみだったかと思うんですけれども、こういうときでなければ、なかなかお時間を頂けないと思いますので。
島田守護霊　今日は〝闇討《やみう》ち〟を恐れてるからさあ、用心してるよ。
おまえらに会いたくないから、ちゃんと用心して隠れてるのに、呼び出してくるとはなんだ。

里村　闇討ちを恐れて隠れたりするのは、やはり何か悪いことをしているからですか。

島田守護霊　ああ？　週刊誌っていうのは、隙間《すきま》から狙《ねら》い撃ちするのが仕事だろうが。

里村　ええ。

島田守護霊　堂々と体を見せたら撃たれるじゃないか。だから、「こちらは撃たれないところに体を置きながら、隙間から狙って、気がついてないやつを撃ち落とす」というのが仕事だよ。これが週刊誌じゃないか。

里村　本当にそうですね。島田編集長は、あまり姿を見せられませんよね。

島田守護霊　当たり前じゃないか。まあ、夜道が怖いからさ。

里村　ええ。

島田守護霊　それは、気をつけないといかんから、なるべく正体をつかまれないようにしてるよ。まあ、宗教なんかも相手にしてるからねえ。

里村　でも、かつての花田編集長は、コメンテーターとして、毎週、テレビにも出ていましたし、そういう狙い撃ちを恐れて隠れているのとは、少し違いましたよね。

島田守護霊　そらあ、あれは体もでかいからさあ、暴力に対して自信があったんじゃねえか？　暴力に対して、暴力で戦う自信があったんだよ、花田さんは。

里村　ああ。

島田守護霊　そうなんだよ。彼は、プロレスラーに転向できるような人だから、それで自信があったんだ。きっとな。

里村　そうすると、島田編集長のほうは自信がないわけですか。

島田守護霊　ああ、花田ほど心臓がでかくないし、心臓に毛が生えてないからな。それに、大編集長としての実績が、まだ、それほど鳴り響いてるわけではないからさ。

里村　ええ。

島田守護霊　それで、いちおう用心はして、変な雑魚《ざこ》に引っ掛かって、足をすくわれないように気をつけてる。

## 今回の記事は「観測記事」にすぎない

里村　今日は、ぜひ、その「足をすくわれた話」も訊《き》きたいと思っています。

島田守護霊　「文春」っていうのは、君、いい週刊誌だぜ。もう、日本一天国的な週刊誌だ。神様の代わりに、大天使ガブリエルが指導しているような週刊誌なんだよ。

里村　まあ、週刊誌のなかでは売れていますけれども、花田編集長時代から比べると、売れ行きが半分ぐらいになっていますので、〝神様の権威〟が少し落ちているのでしょうか。

島田守護霊　いや、それ……、君ねえ、最初から嫌なことを言うなあ。

里村　（笑）

島田守護霊　は、半分って言われると、なんかさあ、ものすごく私に能力がないみたいに聞こえるじゃないか。

里村　まあ、「〝神様への信仰〟が薄れてきているかな」という感じがしますね。

島田守護霊　違う違う違う違う。それは私が抑制をかけているからなんだよ。あんまり人権を侵害しないように、世の中が悪人に満ちていないように見せるために、理性に基づいて内容に抑制をかけ、天国的な記事を並べているから売れ行きが落ちているんだね。

地獄的なものをボンボン打ち込めば、売れ行きがガンガン増えるんだけど、さすがに恥ずかしいと思って、そういうものは、ちょっと抑制をかけてるんだな。

里村　ほお、そうですか。

しかし、「抑制をかけている」とか、「心臓に毛が生えていない」とかおっしゃるなかで、今回、ほぼ一年ぶりぐらいに、大川きょう子氏の記事を、ワイド特集のなかで取り上げられましたよね。

島田守護霊　それはさあ、「そろそろ、みんなも気にしてるだろう」と思ってね。ほかのところに載らないじゃない？

里村　ええ。

島田守護霊　ほかのところがやられたのは知ってるけどさあ。差し込まれたのは知ってるけど、うちだけやってきてないから、「期待が集まってるんじゃないかなあ」と思ってね。「もしかしたら、『文春』だけは、独走して記事を出してもやれるんじゃないかなあ」ってね。

まあ、今回の観測記事で、外から見たら、わりあい、いいように取れなくもないような記事を書いたので、これで、おまえんところが何も言ってこんようだったら、さらに踏み込んでやったろうかなあと思っているし、今後、選挙が絡んできたら、大きな特集を組める可能性がある。「文春」に対して弱みを持っているんだったら、やれるのでね。

まあ、「新潮」はかなり弱ってるようだし、講談社は、あんたらの怖さをよく知ってはいるから、もうちょっと慎重だけどさ。うちはそんなに、「徹底的にやられた」っていうほどの意識がないからさあ。

## 「嘘《うそ》をついても面白く」が週刊誌の善？

酒井　これは、「善の記事」、「天国的な記事」ですか。

島田守護霊　もちろん善意の記事ですよ。もう、ほとんどが善意の記事ですよ。週刊誌というのはね、有名人をつくってやって、彼らが食べていけるようにするために、一生懸命、頑張ってるんですよ。

酒井　しかし、「教団と完全に決裂したきょう子さんは」と書いてありますが、彼女は、当会から、お金を取っているし、これからもどんどん取ろうとしています。つまり、全然、決裂していないわけなんです。そのへんは嘘《うそ》ではないですか。

島田守護霊　ええ、まあ、これは、「教団からカネをむしり取ってるきょう子さんは」

と言ったって構わないんだろうけどね。

酒井　では、それでよいではないですか。

島田守護霊　それだとね、君、悪意のように聞こえるじゃないですか。

酒井　私が引っ掛かったことは、もう一つあります。この人の行動で、「利用者たちはみな、『助かってます』と感謝を口にする」と書いてありますが……。

島田守護霊　そりゃ、カネをくれたらうれしかろうなあ。

酒井　本当に、「みな」ですか。

島田守護霊　ええ?

酒井　全員ですか。

島田守護霊　（苦笑）まあ、それはちょっと甘いとは思うが……。

酒井　「天国的な記事」であるのなら、こういう嘘をついてはいけないのではないですか。

島田守護霊　まあ、それはちょっと甘いとは思うけどさ。

ついこの前、幸福実現党の党首で、全国でポスターを張りまくってた人が、ほんの二、三年で「トイレ掃除やってるおばはん」に落ちてるわけだからさ。いやあ、こんな面白いのを週刊誌として書かないわけにいかんじゃないか。

酒井　それが面白い？　それが「週刊誌の善」なんですか。

島田守護霊　まあ、身をやつしてここまで落ちているのに、本人は「マザー・テレサ風に頑張っている」つもりでいるらしい。こちらは、そういう気持ちを、ちゃんと読み取ってるよ。

## 島田守護霊は、悪魔の世界に詳しい情報屋

酒井　ちょっと待ってください。あなたが「姿を隠している」ということは、表に出るとまずい経歴が、何かあるんですか。

島田守護霊　いや、あんたと一緒なのよ。

酒井　それは、どういう意味ですか。

島田守護霊　あんまりいい男だから、顔を見せたくないわけよ。

酒井　ただ、経歴ぐらい出してもいいではないですか。

島田守護霊　ええ？　あんまりいい男だからさあ、道を歩いていてサインを求められると困るだろう？

酒井　ああ、そんなに、いい男なんですね。

島田守護霊　うーん。だから、あなただって困るだろうよ。

酒井　別に困りません。

島田守護霊　韓国《かんこく》俳優と間違われるんだって？

酒井　いや、そういうキャラではありません。

島田守護霊　ふーん。でも、なんか、世界的に有名らしいじゃないの。悪魔の世界でも有名で、「『あいつには気をつけろ』という申し送りが来る」っちゅう噂《うわさ》を、最近聞いたねえ。

酒井　なぜ、あなたは、そこまで知っているんですか。

里村　ずいぶん、悪魔にお詳しいですねえ。

島田守護霊　うん。詳しいよ。まあ、私たちは情報屋だからね。

酒井　あなたのように、忍者のようなやり方をする人の場合、心のなかに、かなり、やましいところがあるはずです。

島田守護霊　君ねえ、週刊誌やってて、やましくない人間なんか、世の中に一人もいるわけないよ。

酒井　いや、花田さんは、ちゃんと自分の名前を出していましたし、テレビにも出演していたではないですか。

島田守護霊　彼には確信犯的なところがあったからねえ。だから、間違いはしょっちゅう犯すんだけども……。

酒井　いいえ、花田さんには「責任を取ろう」という気持ちがあったんですよ。

島田守護霊　いや。

酒井　あなたは責任を取らないのですか。

島田守護霊　そんなことはないけど、まあ……。

酒井　これは、社長に責任をなすりつけようという態度ではありませんか。

島田守護霊　大砲を撃つんだけど、外れるものは外れて、よそを破壊することもあるんだけどね。

## 3　幸福の科学をどう見ているか

### 〝霊界新撰組《しんせんぐみ》〟が幸福の科学を付け狙《ねら》っている

酒井　あなたは、当会の職員に、元・文藝春秋《ぶんげいしゅんじゅう》の社員がいるのをご存じですよね？

島田守護霊　うーん。まあ、それは具合が悪い話だ。そんなことは、あまり言ってほしくないなあ。

酒井　なぜですか。

島田守護霊　活字にされると困るからな。

酒井　その「文春」関係の人たちに訊《き》いたら、あなたのことなど「知らない」と言っていましたよ。「無名だ」と。

島田守護霊　うーん。まあ、それは……。
酒井　あまり活躍していなかったのですか。
島田守護霊　まあ、そういう端境期《はざかいき》ってのがあるんだよ。
酒井　端境期?
島田守護霊　「ダークホース」っていうのがあるんだ。君みたいにね。
酒井　ああ、ダークホースですか。
島田守護霊　君が理事長になるように、世の中には、ダークホースっていうのがあるのよ。例えば、「雑用要員だ」とか、「留守番要員だ」とか思われてたのが、ダークホースみたいに、こう……、
酒井　あなたも掃除か何かをしていたんですか。
島田守護霊　あんたも、留守番要員から、急に、「悪魔対策要員」に変わったんだろう?

それで、「悪魔いじめ」で名前を上げて……。

酒井　よくご存じですね、いろいろと。

島田守護霊　え？　よう知っとるよ。そらあ、私らは、情報屋だからさ。

酒井　ああ。

島田守護霊　悪魔退治のときに、いっつも出てくるじゃないか。まあ、おまえら二人（酒井・里村）は、もう狙《ねら》われてるから気をつけないとな。おまえらを「霊界新撰組《しんせんぐみ》」が狙ってるから、気をつけたほうがいいよ。

酒井　（苦笑）そうですか。

島田守護霊　狙われるのは大川隆法だけだと思ったら大間違いだよ。

## 幸福の科学の「間違った一手」を待っている

酒井　そうすると、あなたも霊界新撰組の一人なんですか。

島田守護霊　おまえらも、霊界新撰組がスキャンダルを狙ってるからなあ。「里村がどこそこでパンを万引きして食ってた」とか……。

里村　（苦笑）万引きしません（会場笑）。

島田守護霊　そのうち、やられるよ。「東京駅のキオスクで盗み食いしとった」とかスクープされ、「財布を忘れてしまって、腹が減って、もう、たまらんかったんで、すまんかった」とか言うて……。

里村　ずいぶんレベルの低いところを狙っているんですね。

島田守護霊　君、出るかもしれないからな。まったく用心してないだろう?

酒井　ところで、あなたは、いつ、「文藝春秋」に入られたのですか。

島田守護霊　いつだったかねえ……。それは覚えてないね。そんな、はっきりとは覚えてないねえ。

酒井　物忘れが激しい？

島田守護霊　うーん。まあ、われわれの経歴なんていうものは、君ね、知っちゃいけないことなんだよ。私らは、もう、ＦＢＩみたいなものなんだから、捜査官の情報なんてのは、つかまれてはいけないいんだよ。うん。

酒井　（里村に）この方は、いつから「週刊文春」の編集長になったんですか。

里村　「文春」の編集長は二〇〇八年の四月からですね。

島田守護霊　ちょうど、君たちが暴れ出す前ぐらいですかね。君たちが暴れてた、この四年ぐらいは、ちょうど、私の編集長期間に当たるかなあ。

綾織　先ほど、「さらに差し込んでいく」という話がありましたけれども。

島田守護霊　そらあ、狙ってるよ。

綾織　何に最も関心がありますか。

島田守護霊　将棋指しで言やあ、「間違った一手」を打つのを待ってるよ。

綾織　「選挙」という言葉も出ましたよね。

島田守護霊　選挙もあるけど、これだけ本を出しまくってるから、君らは嫉妬《しっと》をいっぱい買って、いろんなところから狙われてるからさ。当然狙ってるよ。

## 幸福の科学の活動はジャーナリストたちの嫉妬《しっと》に値する

綾織　何がいちばん気になりますか。

島田守護霊　ええ？　まあ、やっぱりジャーナリスティックな傾斜が激しいよな。つまり、われらが見て悔しく思うような、「スクープ」に当たるものが、ちょっと多くなってきた。そのなかには、やっぱり、嫉妬に値するものも若干ある。

里村　それは、例えば、政治や経済など、世の中の動きに関するものでしょうか。

島田守護霊　もう、政治や経済、外交、軍事、金融など、宗教にあるまじき分野にまで口出ししてるじゃないか。

里村 ええ。

島田守護霊 それで、けっこう、スクープ的なものを狙ってくるじゃないか。これは、君ねえ、やっぱり、人の食料を奪ってるようなもんだからさ。

里村 ほお。

島田守護霊 まあ、それは、礼儀っちゅうもんがあるからさ。

酒井 しかし、あなたたちとは目的が違います。

島田守護霊 おまえらは宗教のことを書いとりゃええのよ。あの世の話をね。

酒井 あなたは、この国や、この世界をどうしたいのですか。

島田守護霊 そらあ、私たちは世界標準というか、グローバルスタンダードだからね。

酒井 何の標準ですか。

島田守護霊　だから、「世界の正義」のグローバルスタンダードだ。

酒井　正義と言っても、最近では、ほとんど芸能週刊誌化しているではないですか。

島田守護霊　ああ、それは、売るためにね。ちょっと、給料を出さないといかんからさあ。

酒井　では、これは売るための本ですか。

島田守護霊　「文春」は、男性にも女性にも読まれなきゃいけない。

酒井　それでは、記事のどこに正義が入っているのですか。

島田守護霊　堅いのばかりだと、男性しか買わないじゃないか。だから、やわらかいのを少し入れないとな。

## 今、マスコミ全体が存亡の危機にある

酒井　私は、大学のころに「諸君！」などを読んでいましたけれども、そのときの論調と比べると、どう考えても、ほとんどもう、芸能週刊誌ですよね。

島田守護霊　いやあ、それは、君が年を取ったんだよ。

酒井　あなたは若いんですか。

島田守護霊　もう、君が年を取ったんだよ。若かったら硬派な雑誌に見える。年を取ったら軟派に見える。そういうものなんだよ。

酒井　いえ、違います。明らかに変わっていますよ。

里村　おそらく、文藝春秋さんとしては、「諸君！」をやめるのではなくて、逆に、「週刊文春」をやめるべきだったのではないかと思うのです。「諸君！」のほうだと、「正義」というのが、分かりやすいですからね。

島田守護霊　まあ、そういうものはあんまり売れないんだよな。

（綾織に）だから、君らはいいよ。君らはバックに宗教がついてるから、売れない雑誌をいくらでもつくれる。いっぱい売れない雑誌を出して、言いたい放題やってさ。

綾織　いえいえ、売れています。

酒井　われわれの場合、別に、売り上げが上がろうが上がるまいが、正義を言うのが目的なんですよ。

島田守護霊　僕らは、君らの十倍ぐらい売れないと食っていけないんだよ。

綾織　ところで、さきほどのスクープの話ですけれども、「週刊文春」を見ていると、スクープの質が落ちている感じが非常にするのです。

島田守護霊　いや、そうなんだよ。それは、私の、あまりに温厚な、バランスの取れた感覚が効きすぎてるんだな。

綾織　かなり無理をしているようですし、「池田大作《だいさく》名誉会長の病室のスクープ」というのも大誤報で、編集長自ら謝罪をされていましたよね。そのように、かなりレベルが落ちてきています。

島田守護霊　いや、まあ、あれは、ちょっと、「新潮」のネタを取るつもりでやったんだ。

里村　ものすごく取材の質が落ちていますよね。池田名誉会長の誤報もそうですし……。

島田守護霊　いや、いや、あのね、やっぱりね、うちだけじゃなく、新聞も含めて、マスコミ全体が、今、経営危機なんだよ。

里村　ええ。

島田守護霊　もう存亡の危機だ。情報通信系は、できるだけタダになっていく方向に、すべてが動いているので、いつ終わりがくるか分からない。

## 今回の記事で怒らせ、幸福の科学に奇行《きこう》をさせたかった

里村　あなたがたが、タダになりつつある情報通信に寄りかかって取材しておられる

ためか、今回の記事にも事実と違うところがあるんですよ。

例えば、きょう子さんは、寒くなってからは、あまり現地へ行っていないのです。

島田守護霊　まあ、寒いとトイレ掃除もできんだろうよ。

里村　それから、この寒い時期に、「週刊文春」に載っている彼女の写真が半袖《はんそで》なんですよ。

島田守護霊　それはおかしいですね。

里村　なぜかというと、結局、現地に行って、彼女の写真を撮ったわけではなく、彼女のボランティア団体である「みちのく衛生の会」のホームページから写真を取っているのでしょう。そうなると、おそらく、東京から、本人に電話で取材したぐらいかと思われますね。

酒井　これは電話取材ですか。

里村　なぜ、記事に「氷点下の地で」と書きながら、この季節に半袖の写真なんですか。

島田守護霊　まあ、「気になるオンナの謎《なぞ》を解く」っちゅう題だからな。

酒井　いや、ネタが古いのではないですか。

里村　古いんです。

酒井　新鮮味がない。なぜ、今、この段階で、この記事を出したのですか。

島田守護霊　いやあ、あの、やっぱ、あの……。

酒井　そこを教えてくださいよ。

島田守護霊　「昔の写真にしてやらないと、今、太りすぎてて、かわいそうだ」って騒ぐからさあ。

酒井　ちょっと待ってください。あなた、そういうことを言ってもいいのですか。

島田守護霊　え？　「太りすぎてて、今の写真は出しちゃいけない」って言う声が一部あったからさ。「まだ、顔が少し細く写ってる写真のほうがいいんでないか」と。

酒井　それは、あなた、本人から怒られますよ。名誉毀損《きそん》になるかもしれません。

綾織　これまでの記事もそうなんですが、きょう子氏の記事は、彼女が言うことをすべて鵜呑《うの》みにしていますよね。これは、ジャーナリズムとしては、いろはの「い」を踏まえていない、きわめてお粗末な取材のやり方です。

島田守護霊　鵜呑みにしてる……。いやあ、でもね、君。教祖夫人に、直接、談話を聞けるっちゅうのは、一般的には、これ自体がスクープに当たることであってね。

綾織　いいえ、やはり、周辺取材をしないといけません。

里村　「ヨイショ」が過ぎていて、とても「週刊文春」の記事とは思えません。例えば、現地の人の声として、「市役所は表彰しなきゃいけない」などと書いてありますが、彼女は、今、その市に対して嚙《か》みついているわけです。そんな人を表彰するべきだというのはおかしいですよ。

島田守護霊　いやいや、「そういうふうに書けば、おまえたちが怒《おこ》ってくるだろう」

と思って、これを入れてるわけだ。

酒井　ああ、怒らせたかったわけですか。

島田守護霊　「怒って、きっとまた変なことをするに違いない」と思ってね。

酒井　本にされたかった？

島田守護霊　いや、別に、それは、考えてないけども、「幸福の科学は、きっと奇行《きこう》をするに違いない」と思って……。

酒井　「奇行」というのは、例えば、どういうことですか。

島田守護霊　フライデー事件みたいな奇行をすると……。

酒井　「してほしかった」ということですか。

島田守護霊　幸福の科学は、そういうことを必ずやる団体なのに、何か最近、変なとこで抑制が利《き》いてるんだ。

里村　抑制が利いているのは、編集長も同じですよね。

島田守護霊　おまえらも抑制が利いてて、言論だけで叩《たた》こうとしてるけど、それは、宗教の正しい立場じゃねえだろうが。宗教っちゅうのは、脅し、すかし、いじめ、恫《どう》喝《かつ》をやらなきゃいけない。

## 大川きょう子を聖女にして、応援部隊をつけたい

酒井　ところで、この記事は、誰《だれ》が書こうと言い出したのですか。

島田守護霊　まあ（苦笑）、それは、まあ、まあ、前回、前々回、取材した人が関係しているだろうよ。

酒井　あなたは、この記事に対して、賛成ですか、反対ですか。

島田守護霊　まあ、編集長だから、責任は逃れられないとは思うけどね。知らんわけじゃないから。

酒井　部下から突き上げがあったのですか。

島田守護霊　うーん。何とも、言いようのない言い方だね。まあ、編集の企画ってのはね、だいたい、毎週、何百本も上がってくるんだよ。百本以上、上がってきて、それを絞り込んでいくのが、いちおう編集長の仕事なんだよな。

酒井　これはあなたが絞り込んだ？

島田守護霊　全部、編集長が企画してるわけじゃない。持ち込まれる企画が、毎週毎週、ものすごい本数あるわけで、そのなかから絞り込んでいって、「これにしよう」っていうのを決めるのが編集長の仕事だよな。

里村　ただ、「沢尻《さわじり》エリカと並べよう」ということを決めるのは、やはり、編集長ですよね。

島田守護霊　まあ、お騒がせっていう意味で、ほんとは似てるんだよな。

ほんとは、もうちょっと、この〝便所掃除のオバサン〟を暴れさせたいんだけどね。暴れ方が足りないので、もうちょっと頑張ってもらいたいんだよな。

酒井　やはり、そこにあなたの主観が入っていますよね。

島田守護霊　もうちょっと暴れさせようとして応援してるわけよ。「あなたは、聖女みたいな正しい人なのに、こんなに冷遇され、教団から干されて、かわいそうな目に遭っている。実は、聖女のように、ええことをしてるんだから、もうちょっと怒《いか》りを持たなきゃいけないんでないか」とね。

酒井　では、あなたの指示によって取材が入った？

島田守護霊　「そんなかわいそうなことをしているのに、信者は何も知らないんじゃないか。この人が何してるかを、たぶん、知らないんじゃないか。だから、信者にも知らせて、応援部隊をもうちょっと付けてやらなきゃいけないんじゃないか」と思ってね。

酒井　当会と裁判をしているのは、ご存じですよね。

島田守護霊　え？　まあ、「裁判を有利にしたい」っていう気持ちもあって、やってはいる。

酒井　裁判をしているリスクを、あなたはどう考えているのですか。

島田守護霊　だから、この人を聖女に持っていくことによって、うちの裁判リスクは減るわな。

酒井　それは、あなたの考えですか。裁判中の案件について、社長にお伺いもせず、あなたの一存で書けるものなのですか。

島田守護霊　まあ、本人をマザー・テレサみたいに持っていけば、幸福の科学が悪いことになって、「文春」は負けなくなるわけだからね。

## 4　マスコミの「情報源」の正体とは

### 相手が善人か悪人かで情報源を絞るわけではない

酒井　いえいえ、その内容ではなくて、指示や命令は、どこから出ているのですか。

島田守護霊　君ねえ、そんなことをしゃべったら、私がクビになるじゃないか。何言ってんだ。

酒井　「クビにする人から出ている」ということですか。

島田守護霊　うーん、まあ、そんなことをベラベラしゃべったら、クビになるだろうよ。それは、ブン屋にしては、あまりにも口が軽すぎる。やっぱり、「取材源の秘匿《ひとく》」や「企画の秘匿」は大事なんだ。

酒井　では、「部下から」ではなくて、「上から」ではないですか。

島田守護霊　いやいやいや。そんなことはない。

酒井　あなたが指示したのであれば、別に、クビにはならないですよね。

島田守護霊　いやあ、君は、最近、悪魔に慣れすぎてるから、私みたいな善良な人間に対しても、おんなじ手法を使うんだよ。君、それを一週間ぐらい反省したまえ。

里村　ただ、以前、「週刊朝日」の編集長の守護霊と話した感じと比べますと、あなたは、かなり悪魔について詳しいですし、ご自分で直接的にはっきりと動機を言っておられますよね。「週刊朝日」の編集長は動かされているだけという感じだったんですけれども、あなたの場合は、そうではない。かなり、自発的なものを感じます。

島田守護霊　いや、あそこは母体が大きいからさ。朝日新聞でリストラしたい人材を集めて、週刊誌をつくってるんだから、変なことを書いてクビになっても、別に、人員削減になるからいいわけだ。「週刊朝日」には、朝日新聞で品質の高い記事を書けない人を集めてるんだからね。要するに、雨の日に泥んこになってラグビーをやるようなリストラ要員ばっかり集めてるのが、「週刊朝日」だけど、うちには、もともと、そういう新聞みたいなものはないからさ。

綾織　この世の指揮命令系統以外で、あなたが何か相談している人はいますか。つまり、「この世の人以外で、普段、話をしている人」ということです。

島田守護霊　うーん。際《きわ》どいなあ。君、君、際どいことを言うてくるなあ。

里村　いや、でも、今までの話を聞いていたら、だいたい分かります。

島田守護霊　うーん。際どいなあ……。

まあ、情報源ということではね、君らもそうだろうけど、取材するときに、相手が善人か悪人かっていうことによって、いちいち情報源を絞るわけでもない。あるいは、裁判所が、犯罪人を裁くときだって、「悪人の言葉だから、全部が間違ってる」というわけじゃなく、そのなかには真実も間違いもあるだろう。また、弁護士や検察官の言ってることのなかにだって、真実も間違いもあるだろう。

こういうことを、すべて篩《ふるい》に掛けて判断するのが、裁判官の仕事じゃないか。だから、「情報源が、善人か悪人か。善霊か悪霊か」みたいなことにこだわると、やっぱり良質な情報が取れないんだ。

## 悪魔の〝連帯〟が始まっている？

綾織　その「悪霊」とは、例えば、どなたですか。

島田守護霊　（苦笑）いやあ。

酒井　あなたの情報源には、悪霊もいるわけですよね。

島田守護霊　いや、まあ、週刊誌ネタっちゅうのは、だいたい、いつも、必ず憑《つ》いてるよ。

綾織　お付き合いが当然ありますよね。

島田守護霊　天使がいつもブラッシングしてるような人が、週刊誌に出てくるわけないでしょう?

酒井　まあ、そうでしょうね。この記事に関する情報源は、どこですか。

島田守護霊　私は裏を取らなきゃいけないからね。裏取りは大事でしょう。

酒井　では、裏を取りに行ったわけですよね。

島田守護霊　裏は取ってるよ。

酒井　それは、どこですか。さっき、「気をつけろ」と言っていた人たちのうちの一人ですか。

島田守護霊　うん。だから、今、君たちは気をつけたほうがいいよ。ほんとはね、「幸福の科学対抗チーム」が、今、横に連帯を組み始めているからね。

綾織　ほお。

島田守護霊　「宗教とマスコミの垣根を乗り越えて、みんなで連帯しよう」という運動が起きてる。悪魔は連帯したことがないのに、そういう連帯が、今、始まっているから、気をつけたほうがいいよ。

酒井　悪魔の連帯が始まっている？

島田守護霊　それほど君たちが強いんだよ、ある意味ではな。だから、われわれも、サッカーやラグビーのようなつもりでやらないと、「これは、たまらない」と思うんだよ。

## 島田守護霊を指導する悪魔は「べー様」

里村　その悪魔というのは、誰《だれ》ですか。

島田守護霊　ううん？

酒井　いちばん上に「べ」がつきますか。

島田守護霊　え？　ええ、まあ、いろいろあるだろうけど……。うーん、まあ、ちょっと、「連帯を組み始められてる」っていうことは、気をつけたほうがいいな。
酒井　ベルゼベフですか。
島田守護霊　さあ、それは、よくは知らない。
酒井　彼から指令が出て、例えば、最近では、ニーチェとかが出てきたりしています
（二月三日に「ニーチェよ、神は本当に死んだのか？」を収録）。
島田守護霊　だから、この前の〝それ〟を恨みに思っているんじゃないの？
酒井　ベルゼベフが、ですね。
島田守護霊　いやいやいやいや、いやいや、知らないけどさ。
里村　詳しいですよねえ。
島田守護霊　まあ、私たちは、たくさんの人に取材しなきゃいけないからさ。
綾織　ニーチェとも付き合いはあるのですか。

島田守護霊　そこまで言われて、もう、喜んだほうがいいのかどうかかねえ（会場笑）。ニーチェに取材ができるなんて、すごい大物みたいじゃないか。

綾織　ああ、なるほど。あなたは、そこまでの大物ではない？

島田守護霊　編集長の守護霊としたら、もう、最高級だな。

酒井　ただ、ベルゼベフあたりのルートから、何か来ているわけですよね。

島田守護霊　まあ、いや、ベルベ……、べ、べ、べ、べべ、「ベーさん」はね。べ、べ、「ベーさん」にしておくよ。

酒井　「ベーさん」などと言って、あとで大変なことになりませんか。

島田守護霊　名前をフルネームで出したら、やっぱり、まずい。祟《たた》りがある。

里村　あなたの場合、「ベー様」と言っておいたほうがよいのではないですか。

島田守護霊　ああ、「ペー様」っていうのがあったな。「ヨン様」とか、「ペー様」とかがあるから、まあ、「ベー様」にしよう。じゃあ、「ベー様」でいこう。

酒井　（苦笑）

## 大きなところと戦うのが〝文春の趣味〟

島田守護霊　べ、べ、「ベー様」はね、別に、うちでなきゃいけないってことはないんだよ。

まあ、ほかんとこでも構わないんだけども、ほかんとこは、ちょっと記事を打つと、あなたがたがすぐ頭を潰《つぶ》しにかかってくるからな。まだ、ここ（文春）に出口としては穴が開いてるので、まあ、「ここは叩《たた》けないんじゃないかなあ」と。

酒井　ベルゼベフは、ルシフェルが指導していた「新潮」を三流誌と言い、「あいつはヘマをした。俺は、そんなちっちゃい、ちんけなところはやらない」というようなことを言っていましたよ。

ところで、「週刊文春」と「週刊新潮」とでは、どちらの売り上げが上でしたか。

里村　今は「文春」のほうが上ですね。

酒井　ベルゼベフは、「『朝日』ぐらいの大きなメディアでないと、私は使わない」と言っていたのですが、それは嘘《うそ》だったんですね。

島田守護霊　いや、まあ、うちはね、やっぱり、大きなところと戦うのが趣味なんですよ。基本的にはね。

だから、朝日新聞と戦ったりしているし、君らは今、宗教界最強なんだろうから、やっぱり、週刊誌のナンバーワンを狙《ねら》うには、その最強のところに喧嘩《けんか》を売るぐらいでなきゃいけない。ナンバーワンと戦って、ナンバーワンになれるんだよ。

## ネット上にも姿を現さない島田編集長

綾織　そのチームの「方針」とは、どういうものなんですか。

島田守護霊　それは、やっぱり、幸福の科学を四分五裂《しぶんごれつ》させることだよ。そうしたら獲物がいっぱい出てくるだろう。

例えば、「里村氏は、悪魔をいじめた結果、その後、京の橋の下でムシロを被《かぶ》って、おにぎりをもらってる」とか……。

里村　記事になりませんね。

島田守護霊　面白いじゃないか。その後の零落《れいらく》した人生を取材すると面白いじゃないか。

酒井　たった一回きりの記事でしょうけれどもね。

島田守護霊　「まぐれで偉くなりすぎた者には、必ず、最後、『作用・反作用の法則』が働く」と。

綾織　その狙いは、今のところ、あまりうまくいってないのではありませんか。

島田守護霊　いや、私たちは、君たちと、ある意味では一緒なんだよ。つまり、「人生の幸・不幸の法則」を探ってるわけで、私たちの〝法則〟を学ぶことによって、人々は間違いのない人生を送ることができる。

綾織　あなたがたは、この何年か記事を書いていますけれども、教団は微動だにしていませんから、うまくいっていませんよね。

島田守護霊　「微動だにしない」っていうことはないんじゃない？　ものすごく動揺したんじゃないの？

綾織　いや、まったくしていませんよ。

島田守護霊　だってさあ、警察に駆け込まれたりしたら、ものすごいスクープだからね。

綾織　一人だけですよね。たった一人が暴れているだけですよね。

島田守護霊　ああ？　ものすごいスクープなんじゃないの？

綾織　それ以外、まったく出てきていません。

酒井　ただ、それにしても、姿を隠し、ネット上にもまったく姿を現さないという、あなたの警戒心はすごいですよね。

島田守護霊　うーん、うーん。まあ、人間には、用心深い人と、そうでない人とがいるからな。

酒井　あなたには、「悪いことをしている」という良心の呵責《かしゃく》があるのではないですか。

島田守護霊　呵責はないけど……。

酒井　ないのなら、堂々とやればいいではないですか。

島田守護霊　やっぱりねえ、週刊誌っていうのは、基本的に、批判している人の数が多いからさ。だから、どこからやられているかが分からないことが多いのでね。そういう意味での「防衛術」は要《い》るわな。

酒井　だから、あなたは……。

島田守護霊　「ハリー・ポッター」にもあるだろう。〝闇《やみ》の世界への防衛術〟みたいなものがあるじゃないか。

君たちみたいな〝闇の勢力〟と戦うには、姿を隠すのが一番だ。

## すでに悪魔たちの仲間になっている島田守護霊

酒井　そういうやり方をしていると、あなたは、本当に、あの一連の人たちに持っていかれてしまいますよ。

島田守護霊　持っていかれちゃう？

里村　おそらく、あなたは「使い捨て要員」で、使い捨てられたあとは、彼らのお仲間になりますよ。

島田守護霊　「お仲間になりますよ」って言ったってさあ、もうすでになってるよ。

里村　なっていますか。

島田守護霊　なってるよ。そりゃぁ、そうだよ。手数料を払ってるからさ。

里村　手数料？

島田守護霊　いちおう、取材をさせていただいている以上、手数料を払うのは当たり前だ。

だってねえ、彼らから得られる情報って、すごい貴重なんだよ。「彼らがどこを狙っているか」を突き止めれば、そいつが次の話題になるんだからな。彼らが取り憑いたところが騒ぎを起こすので、彼らの動きをウオッチしておれば、だいたい、いつもネタが尽きないんだよ。

綾織　「手数料」というのは、どういうかたちで支払うのですか。

島田守護霊　まあ、手数料っていうのは、彼らにとっては、「生きがい」であるし、「エネルギー源」なんじゃないかな、たぶん。

酒井　あなたは今、天国にいるのですか。それとも、地獄にいるのですか。

島田守護霊　君ねえ、私は守護霊ですから、それは天国でしょう。もう、最高の天国にいるんじゃないかな。

酒井　あなたがいる天国とは、どのようなところですか。

島田守護霊　マスコミ人としては、最高の栄誉だ。

里村　ぜひ、お聞きしたいです。マスコミ人の最高の天国とは、どのようなところでしょうか。

酒井　その世界で、あなたは、どういう方と一緒にいますか。

島田守護霊　やっぱり、マスコミ人の最高っていったら、「文春」でなきゃいけないだろうね。

里村　その世界では、御本尊として、どなたを祀《まつ》っていますか。

島田守護霊　まあ、「マスコミの七大天使」というのをつくったら、やっぱり、そのなかには「文春」が入らなきゃいけない。

里村　え？

島田守護霊　枠としては、一人ぐらいは入れなきゃいけないだろうな。うんうん。

## 島田守護霊は菊池寛《きくちかん》を「甘さがあった」と見ている

綾織　文藝春秋社《ぶんげいしゅんじゅう》の初代社長の菊池寛《きくちかん》さんとは、話ができる状態ですか。

島田守護霊　まずい話題のほうに振ってきたなあ。

綾織　普段、話はされますか。

島田守護霊　いや、それは、君ねえ、うちの御本尊に当たる方ですからね。

綾織　そうですよね。

里村　菊池寛氏が、今のマスコミ界の御本尊ですか。

島田守護霊　御本尊に対して言うことは、私のクビがかかるから、それは、君、非常に危険な質問だ。

綾織　いやいや、素直な気持ちを言っていただいていいと思うのですけれども。

島田守護霊　御本尊か。うーん。御本尊。

綾織　尊敬されていますか。

島田守護霊　これは、ちょっと怖いな。論評は避けたい。さすがに、御本尊のほうは……。

里村　「論評を避ける」というのは、マスコミ人らしくないですよ。

島田守護霊　御本尊は偉いだろうから、御本尊を否定したら、マスコミだって成り立たないんだよ。マスコミも、基本的には、宗教と同じ組織だから、やっぱり、御本尊があってのものなんだよ。

酒井　ですから、否定はしないでしょう。

島田守護霊　うーん、まあ、御本尊を悪くは言えない。君たちだって、御本尊を悪くは言えないだろう？　それと一緒だ。

酒井　考え方は宗教と同じですか。

島田守護霊　うーん。際どいなあ。まあ、あいつは、ちょっと、宗教……、ああ、いや、いや。

酒井　今、「あいつ」と言いましたね。

島田守護霊　いやいやいや、いやいやいや。あのお方には、まあ、ちょっと、宗教が好きなところもあったからねえ。

酒井　あなたは宗教が嫌いですか。

島田守護霊　うーん、宗教好きなところも、ちょっと、おありになったから、まあ、その意味では、迷信家ではあるわね。

酒井　迷信家ですか。

島田守護霊　迷信家で、ちょっと、古い価値観の持ち主ではあるわねえ。

つまり、マスコミ人でありながら、何て言うか、良心みたいなものを持とうとしたところに、やっぱり、甘さが残ってた。

綾織　甘かった？

島田守護霊　うん、甘さがあった。そういうものを持っているようでは、やっぱり、いい仕事はできないね。

酒井　菊池寛さんは、甘いですか。

島田守護霊　たとえ良心があったとしても、それを、ちょっと横に置いといて、冷静に、冷徹に、悪を追及するところに、マスコミ人の仕事っちゅうのがある。

## 5 悪魔ベルゼベフとマスコミの関係

### 「対・幸福の科学プロジェクト」が存在する

酒井　では、あなたが、「あの世で尊敬する方」「今、近くにいる方」は誰《だれ》ですか。

島田守護霊　うー、そう簡単に、引っ掛からんぞ！

酒井　いえいえ、引っ掛けようとは思っていません。

島田守護霊　そんなに簡単には、引っ掛からんぞ。

綾織　先ほどの、「マスコミ七大天使」というのは、やはり、あなたが尊敬されている方ですよね。

島田守護霊　まあ、それは、秘密だろうな。ベールに囲われて、みんなマスクを被《かぶ》ってるから、分からないんじゃないか。

酒井　普段、お付き合いをしている方も分からないですか。

島田守護霊　ああ、目だけしか見えない。

里村　ぜひ、それを聞かせていただきたいです。これを明かす機会は、滅多にないですよ。

島田守護霊　君ねえ、それを明かすわけにはいかない。

酒井　「現代の悪魔は活字から入ってくる」という言葉は好きですか。

島田守護霊　それは、ニーチェを批判した言葉なんだろう、たぶんな。

里村　そうですね。

島田守護霊　まあ、それはね、「言論の自由市場」には、善も悪もある。あなたがただって、市場で偽物をつかまされる場合もあるし、福袋を買って、「いいものを安く買った」と思ったら、「中身は、全然、合わないものばっかり」という場合もある。宝くじなんか、ほとんど外れだよな。

里村　「言論の自由市場」という言葉で、ごまかさないでください。

酒井　あなたは、「今、プロジェクトが組まれている」と言っていましたが、これは、ちょっと注目に値する話ですよ。

島田守護霊　いや、「対・幸福の科学プロジェクト」があるんだよ。

酒井　そうしたことは、普通、知らないではないですか。

島田守護霊　映画で、「対・ゴジラ対策室」とかあっただろう。な？　ゴジラが上陸するときの、あんな感じなんだよ。

綾織　その「マスコミ七大天使」が中心なんですね。

酒井　その対策室のなかで、あなたのポジションはどのあたりですか。

島田守護霊　うーん、際《きわ》どい。君ね、やっぱり、悪魔対策やりすぎてるよ。そろそろ、引退のときが来てるわ。

酒井　そんなことはありません。

島田守護霊　長くやると、人柄が悪くなるからね。

里村　いや、悪魔が頑張れば頑張るほど、こちらが活躍する場面も増えるんですよ。

島田守護霊　それだけ人柄が悪くなると、週刊誌でさえ採用してくれないよ。

酒井　私の質問に、ストレートに答えてください。

島田守護霊　ストレートに、何と答えるのよ。

酒井　あなたのポジションです。

島田守護霊　ポジションってのは、どういう言い方をすればいい？　おたくの職制で言えばいいのかい？

酒井　対策室のトップなんですか。

里村　大将なのか。その下の将軍か。さらに、その下の現場の駒《こま》なのか。

島田守護霊　それは、マスコミのどこまでを入れて？

酒井　全マスコミを入れて、です。

島田守護霊　そのなかには、まだ生きて活躍してる人も、死んだ人もいっぱいいるからさあ。

酒井　生きている人も、死んでいる人も、すべて入れて、です。

島田守護霊　うーん？　わしがどのぐらいの偉さかって？

まあ、おたくで言うと、どのぐらいに当たるのかなあ。そうだなあ……。おたくには、わしほど活躍できるような人間があんまりおらんからさあ。まあ、あえて、おたくの職制で、どのへんに当たるかっていうと、誰に当たるかなあ。うーん。まあ、幸福実現党の立木《ついき》党首ぐらいかなあ。

酒井　要するに、週刊誌部門のトップというぐらいの位置づけですか。

島田守護霊　まあ、「勝てる見込みのない戦いをしている」という意味では、そのようにも見える。

酒井　（苦笑）

島田守護霊　彼も、票が取れないだろう？　わしも売り上げが取れんで困っとるからさあ。まあ、それで似てるんだよ。

酒井　文春も、年々、売り上げが落ちていますからね。

島田守護霊　うーん。品性が邪魔して売り上げが伸びないんだよ。

文藝春秋《ぶんげいしゅんじゅう》の現社長は「使いものにならない」？

酒井　あなたは、今の平尾《ひらお》社長について、どう思われていますか。

島田守護霊　まあ、それ（苦笑）……、君ねえ、私がサラリーマンであることを忘れちゃいけないよ。

酒井　いやいや、あなたは守護霊なんですから。

島田守護霊　そんなこと、失言したら、君ねえ……。

酒井　でしたら、「好きだ」「素晴らしい」と思えばいいではないですか。

島田守護霊　やっぱり君は、絶対、悪魔の性質を持ってるわ。

酒井　持っていません。

島田守護霊　いや、君ねえ、絶対、過去世に悪魔の魂の兄弟がいるよ。

酒井　それは、今、ここで話し合わなくてもいいことです。それは別として、平尾社長をどう思うのですか。

島田守護霊　いや、それは引っ掛けだ。完全な引っ掛けだよ。

酒井　いいえ、引っ掛けではありません。「尊敬している」と言えば、それでいいではないですか。

島田守護霊　君ねえ、それをやったら、サラリーマンは終わりじゃないか。

酒井　「尊敬している」「素晴らしい社長だ」と言えばいいではないですか。

里村　別に、口にできないことはないでしょう。

綾織　平尾社長は、どちらに近いのですか。菊池寛さんに近いのか。それとも、違う側に近いのか。

島田守護霊　菊池寛みたいなのは、もう伝説の人であって、どんな社長を持ってきたって、比べるのは失礼に当たると思うなあ。

酒井　平尾社長という方は、元社員によると、「素晴らしい方だ」という評価なんですけれども、どうですか。

島田守護霊　ほおー。そう?

酒井　はい。

島田守護霊　ほおー。そう?

里村　はい。宮沢賢治などを研究して、スピリチュアリズムにも少し理解がある方ですよね。

島田守護霊　ほおー、ほおー。

酒井　「そう?」という反応は、変ではないですか。

島田守護霊　まあ、そうですか。へえー。尊敬できる人なんですか。

里村　ええ。

島田守護霊　ほおー。

酒井　(笑)(会場笑)

里村　けっこう、ジェントルマンですよ。

綾織　あなたから見ると、そうでもないですか。

島田守護霊　ほおー。よくそれでマスコミ人が務まりますねえ。ほおー。

里村　「平尾社長は、よくやっているなあ」と思いませんか。

島田守護霊　宮沢賢治なんか研究しているようじゃ、マスコミ人としては、もう使いものにならないんじゃないですか。

里村　使いものにならない？

## 宮沢賢治を「負け犬で役立たず」と見る島田守護霊

島田守護霊　あれは、駄目ですよ。

里村　あれは駄目？

島田守護霊　あれはもう、負け犬ですから。

里村　負け犬ですか。平尾さんが？

島田守護霊　宮沢賢治なんて、生前、名前も売れず、死んでから、やっと名前が売れたんでしょう？　だから、ただの役立たずじゃないか。

酒井　いや、そんなことはありません。

里村「そんなものを研究しているようでは駄目だ」と？

島田守護霊　そんなものを研究してるっちゅうことは、売り上げが伸びないことの言い訳なんだよ。

酒井　しかし、あなたのところが、いちばん売り上げが減っているのではありませんか。

島田守護霊　宮沢賢治の研究なんかしてるから、売り上げが減るんだよ。

酒井　売り上げが減っているのは、あなたの責任でしょう？

島田守護霊　宮沢賢治みたいなのは、自己顕示欲が足りないんだよ。もっと、はっきり、自己顕示欲をバンバン打ち出したら、生前から本が売れて、もっと有名になれたのに、死んでから本が売れるなんて、こんな情けない話はないんだよ、君。

酒井　宮沢賢治は別として、社長のことはどう思いますか。

島田守護霊　だから、もう、「宮沢賢治に惹《ひ》かれる」っちゅうことは、多少は共通項があるんだろうよ。

酒井　好きですか。嫌いですか。

島田守護霊　ええ？　君ねえ、そんなことはどうでもいいよ。人には種類の違いがあるからさ。どうでもいいけども……。

酒井　そうですね。

島田守護霊　ただ、さあ、やっぱり、社員の給料が減る方向に仕事をするやつはよくないよ。一般的な基準としてな。

酒井　でも、あなたが減らしているのではありませんか。

島田守護霊　そんなことはないよ。

## 悪魔ベルゼベフはマスコミ業界を巡回している

酒井　「文春」の売り上げは上がっているのですか。

島田守護霊　いやあ、やっぱり、「べー様」ともっと緊密なコンタクトを取って、良質の情報を取らなければ、スクープがものにできないからね。

酒井　その方針に目覚めたのは、いつごろからですか。編集長になってからすぐ?

島田守護霊　うーん。まあ、「べー様」はマスコミ業界を巡回しておられるからな。

里村　巡回ですか。

島田守護霊　彼は忙しい方ですから、勝機があるところに攻めてくる。

綾織　今が勝機ですか。

里村　ベルゼベフが忙しいから、プロジェクトリーダーが何人かいるわけですね。それが、さっきの〝七大天使〟ですか。

島田守護霊　まあ、もちろん、たくさんいる。

酒井　ベルゼベフがあなたのところに巡回してきたのは、何年ぐらい前からですか。

島田守護霊　まあ、「ベー様」は、月に一回ぐらいは、どこか巡回してますよ。

酒井　ああ、そうですか。

綾織　巡回しているのは、どこですか。「文春」と「新潮」、それに「朝日」？

島田守護霊　まあ、「現代」なんかにも長くいらっしゃったんじゃないですか。

里村　講談社の「週刊現代」ですね。

綾織　最近もそうですか。

島田守護霊　社長（野間佐和子氏）が死んでから、少し、何か……。

綾織　はあ。

## 幸福の科学は〝霊界インターネット〟を使っている？

酒井　あなたは、「週刊現代」も「週刊新潮」も「週刊朝日」も、お仲間だと思っている？

島田守護霊　いや、それは流派が違うからさあ。「どっちが強いか」って言ったって……。

酒井　共同戦線は張れないのですか。

島田守護霊　流派が違うからさあ。

里村　その「流派」というのは面白いですねえ。流派の家元は、それぞれ誰なんですか。

島田守護霊　うーん。まあ、それは、「文春」も「新潮」も「現代」も「ポスト」も、基本的に、政治的に見て座標軸を書けば、そらあ、やや保守のほうに分類されるべきだからね。

里村　まあ、本来ならそうですね。

島田守護霊　本来的に言うと、おたくのようなタイプの宗教とは、そんなに相性が悪いはずではないんだけれども、なぜ、敵になるのかと言うと、おまえらの金儲《もう》けの力が強すぎるんだよ。それがいかんのだ。

酒井　金儲けではありません。

島田守護霊　ちょっと金儲けがうますぎるんだ。

酒井　違います。

島田守護霊　同業者から嫉妬《しっと》を買うぐらいうまいんだ、おまえらは。それがいかん。

里村　同業者ですか。

島田守護霊　同業者だろう？

里村　まあ、出版部門においてはそうですね。

島田守護霊　同業者だよ。おまえらはマスコミの出来損ないだからさ。

酒井　私たちは、お金儲けをしているわけではありません。あなたとは違います。

島田守護霊　おまえらは、マスコミが宗教をやってるようなもんだからさ。

俺たちだって、宗教ぐらいつくってみたいよ。「文春」の一部門に「宗教」をつくって節税したいぐらいだよ。

酒井　あなたたちのほうが、よほど自由に商売ができるんですよ。宗教というのは、ある一定のところで制約がかかります。私たちは、真理を伝えることしかできないんです。

島田守護霊　そんなことはないよ。おまえらは、やり放題じゃねえか。

酒井　私たちは、あなたたちのように悪魔に心を売って、ありもしないことを言い、布教しているわけではありません。「正しさ」ということで制約がかかっているのです。

島田守護霊　いや、俺たちは事実に基づいて報道してるんだ。

酒井　あなたたちは、いくらだって記事を捏造《ねつぞう》して儲けることができるではないですか。

島田守護霊　何言ってるんだよ。俺たちの記事は、必ず事実に基づいてます。君らは、事実にない空想の世界から情報を取ってきて、捏造してつくってるんだから、うちだってやりたいわ。

酒井　何を言ってるんですか。あなたたちの正義はコロコロ変わるではないですか。われわれは、きちんとした正義、正しさしか言っていませんよ。

里村　だからこそ、日銀が、インフレ目標を導入したりするわけです。それが「正しさ」だからです。

島田守護霊　ああいうことを、ほんとに宗教がやっていいと思ってるのか。

里村　これは現実であり、事実ですから。

綾織　幸福の科学は、日本のため、世界のために活動しているんです。

島田守護霊　あんなのは、おまえらがやるんじゃなくて、ちゃんと、そのネタを、うちに持ってきて、うちに書かせろ！

里村　あなたたちではできないでしょう？

島田守護霊　書かせろ！

里村　できなかったでしょう？

島田守護霊　おまえらは取材もしないで、あんな情報を取ってくるなんて、卑怯《ひきょう》だよ。フェアでないよ。

里村　いいえ、きちんとお正月から取材をしているんですよ。

酒井　こんな適当な取材で記事を書いているあなたたちは、フェアではないです。

島田守護霊　俺たちはさ、まあ、今は、経費節約のためにインターネットとか使うけど、おまえらはインターネットの代金さえ払わないで、ただでやってるんだろう？

酒井　あなたのところは、「２ちゃんねる」レベルでやっているのでしょう？　「２ちゃんねる」に経費を払っているのですか。

島田守護霊　おまえたちは、ただでやってるじゃないか。

酒井・里村　ただではありません。

島田守護霊　霊界インターネットを使ってるだろうが。

里村　一月二日から、日銀総裁の守護霊を呼び出して霊言を収録しているんです。

島田守護霊　こんな、「取材機会を独占してる」なんちゅうのは、許せねえんだよ。

だから、もう、早く打ち首にしなきゃいけない。

## 霊界には、マスコミがネタを競《せ》り落とす〝築地《つきじ》〟がある

酒井　あなただって、プロジェクトのなかに入っているでしょう?

里村　そちらのプロジェクトはどうなっているのですか。

島田守護霊　いや、それは、「感謝の念」を送ってるさ。

みんなに、「ありがたい。今日もご飯を食べさせていただけて、ありがとうございます。『ベー様』、ありがとうございました」ってやってるよ。

酒井　やっているではありませんか。

島田守護霊　それはそうだけども、やつらの性能が、ちょっと悪いんだよ。

酒井　なぜ性能が悪いんですか。

島田守護霊　性能が悪い。現代の知識や勉強が、ちょっと足りない。

酒井　ベルゼベフが？

島田守護霊　ああ。やつらは、ちょっとな。ま、現代社会のニュースや、活字を、ろくに読んでねえからさ。ちょっと、資料が古くてさ。

酒井　「やつら」ということは、ベルゼベフ以外に、まだいるのですか。

島田守護霊　いや、「やつら」じゃない。あ、あ、あの方々は……。

酒井　「あの方々」ということは、ベルゼベフ以外に誰がいるのですか。

島田守護霊　現実に、この世のことや、現代のことは、われわれのほうがよく知っていることが多いからさ。まあ、やつらの……。

里村　やつら！

島田守護霊　いやいや。彼らの持ってくる情報は恐ろしい。要するに、あれと一緒なんだよ。警察の殺人課みたいなもんで、「どこそこで死体があがりました」という情報を持ってきてくれる。まあ、あんな話さ。

綾織　ということは、そのチームのなかでは、トータルの一致した戦略のようなものはないわけですね。そういう散発的な情報がポロポロと来るのですか。

島田守護霊　いや、まあ、われらの世界は、自由闊達《じゆうかったつ》であることがモットーだからな。君たちと、まったく一緒だろう？

酒井　あなたがたの場合、自由闊達というか、バラバラですよね。自我が強くて、みな、バラバラになっていくのでしょう？

島田守護霊　いや、それはね、「誰がいいスクープを持ってくるか」なんて分かんないから、序列にかかわりなく、いい情報を取るということだ。

酒井　「新潮」などとの競争が激しいのではないですか。

島田守護霊　ちょうど、築地《つきじ》のマグロと一緒なんだよ。各社が、みな一斉に取材に入っていって、「いいネタ」を、つまり「いいマグロの切り身」を競《せ》り落とすということだな。まあ、こういう仕事をしているわけだ。

酒井 「新潮」に先にスクープされると、すごく悔しいですか。

島田守護霊 だから、ちゃんと、築地があるわけよ。霊界の築地がね。霊界の築地に各社、来ているのよ。

それで、「どこが競り落とすか」っていうのが、腕の見せどころなんだよ。それが編集長の力なんだよ。

酒井 そこでライバル関係が生じるわけですね。

ところで、「新潮」などとは、仲がよいのですか。

島田守護霊 仲がいいわけないでしょう?　競り落とすライバルなんだから。「顔見知りだ」というだけのことだよ。

酒井 同じプロジェクトチームではないのですね。

島田守護霊 いや、〝築地仲間〟だよ。

酒井 喧嘩《けんか》している相手と仲間なのですか。

# 島田守護霊　一人では競りができないじゃないか。

## 6　島田編集長の過去の転生《てんしょう》

### シーザー暗殺の際、ブルータスに情報を伝えた

酒井　ところで、あなたは、なぜ、そこのプロジェクトに入っているのですか。あなたは島田氏の守護霊ですよね。

島田守護霊　まあ、そうだ。

酒井　ベルゼベフとは、いつから縁ができたのですか。

島田守護霊　「いつから縁ができたか」って？　変な訊《き》き方をするなあ。

酒井　では、昔から知り合いなのですか。

島田守護霊　うーん、それはね、代々、引き継いでいることだから……。

酒井　どれくらい前からですか。

島田守護霊　それは、人間ができてから、ずっと引き継いでいる。

酒井　人間ができてから？

島田守護霊　うん。この世に人間が存在してから、ずっといるからな。スキャンダルで有名人を打ち落とすことは、大昔からあるだろう。

酒井　イエス様の時代ぐらいからですか。

島田守護霊　だから週刊誌という紙がない時代からあるよ、それは。

酒井　それはいつぐらいからですか。

島田守護霊　ん？

綾織　イエス様の時代ですか。

酒井　ベリアル（ベルゼベフの別名）という名で呼ばれていたころからですか。

島田守護霊　ベリアルってなんだ？

私は、そんなに宗教に詳しくはないから、そこまでは分からない。言ってることがよく分からない。

酒井　「ベリアルを手伝う仕事を、ずっとやってきた」ということですか。

島田守護霊　とにかく、「権力があるやつや金があるやつ、『権力と金、名誉、地位、女』、こんなものが集まっているやつは、打ち落としてもいい」という考え方は、大昔からあるわけよ。

綾織　過去、あなたは、そういう、〝素晴らしい仕事〟をされてきたと思うのですが、少し教えてください。あなたは、過去世で、どういう仕事をされてきましたか。

島田守護霊　そうだなあ。私の活躍で、いちばん特筆すべきものがあるとしたら、シーザー暗殺のときに頑張ったことかな。

里村　ほう。ブルータスを唆《そそのか》したのですか。

島田守護霊　おお。ブルータスに情報を伝えて、シーザーの殺しごろというか、「どのあたりで殺すのがいちばんいいか」というふうな設計図を引いたわけだ。

綾織　では、シーザー暗殺の計画自体を立案したのですね。

島田守護霊　松本清張《まつもとせいちょう》的に、推理小説仕立てで、「だいたい、ここで、こういうふうに、こういう感じでもって、狙《ねら》う」というような感じだな。

酒井　ああ。では、実際に誘い出して？

島田守護霊　まあ、刺したのは俺じゃねえけど、それは、やっぱり、今で言えば大スクープに当たるな。

今で言うと、「総理大臣の首を取る」「宗教家の首を取る」ということに当たるぐらいの大スクープだわな。

シーザー暗殺のときあたりが、いちばん輝いてたかなあ。

## 大本教《おおもときょう》弾圧の論調を盛り上げた者たちの一人

酒井　あなたは、宗教に対して何かをしたことはないですか。

島田守護霊　ん？　宗教？

酒井　はい。

島田守護霊　まあ、宗教が、それほど強くなる時代っていうのは、そんなにたくさんあるわけではないいんだけど……。

わしに、宗教に縁があった時代があったかなあ。有名な時期で、宗教に縁があったかと言えば……、そうだねえ……。

意外に、最近も生まれてはいる。直前世は、あの大本教《おおもときょう》の大弾圧のときに、ちょっと、活躍した覚えがあるな。

酒井　どのように？

島田守護霊　そのときは、もうすでにマスコミはあったからさ。だから、「大本教は淫祠邪教《いんしじゃきょう》なので、徹底的に叩《たた》くべし」っていうふうな論調を盛り上げ、今言ったような、マスコミの共同戦線をつくって、警察を動かし、大本教の建物の爆破に踏み切らせるようなことをやった。

あれもスクープだけど、ただ、俺独自のスクープとは言えなかった。だいたい、みんな怪しいと思ってたからさ。まあ、その意味では、俺だけの手柄とは言えないけれども、最近では、「大本教を破壊した」ということかな。

まあ、今も潰《つぶ》れてはいないけど、信者百万と号《ごう》する巨大教団を追い落として、いったん、ほとんどなくなる寸前まで行き、教祖らを刑務所に全部ぶち込んでなあ。

里村　出口王仁三郎《おにさぶろう》さんとか、娘婿《むすめむこ》の日出磨《ひでまる》さんとかですね。

島田守護霊　戦後、ちょっと、息を吹き返したけど、弱くなったわな。

里村　ええ。

島田守護霊　初めのころは天下を取りそうな勢いだったが、それを打ち落とす一助にはなっただろう。

酒井　そのときのお仲間で、今、一緒に仕事をしている人は、この業界にいますか。

島田守護霊　いるんじゃないの？　まあ、うちだけじゃなくて、他のマスコミにもいると思うけどな。

酒井　具体的には？

島田守護霊　うーん。具体的には、宗教の敵をやってるところだな。ああ、「新潮」にもいるよ。

酒井　「新潮」にもいる？

島田守護霊　うん。宗教をいじめてるところには、だいたいいると思う。

酒井　その後、あなたは、あの世で、すぐ天国に還《かえ》れたのですか。

島田守護霊　それは、そんな〝善行〟を積んだら天国に還れるのは当たり前じゃないか。

酒井　あなたは天国に還っているのですか。

島田守護霊　それはそうだろう。

里村　あなたが見た天国は、〝マスコミ天国〟ですか。

島田守護霊　俺、意外によく生まれてんだよ。だから、その前もあったような気がするんだよなあ。

なんかね、俺、意外に転生《てんしょう》の周期が早いんだよ。五十年ももたねえんだよ。

里村　五十年ももたない⁉

島田守護霊　早いんだよ。わりにな。

綾織　それで天国に還れていますか。

島田守護霊　ニュース性と時事性に関心があるから、生まれ変わりが早くて、すぐ生まれてくるんだよ。

里村　この世に執着があるわけですね。

島田守護霊　もう、十年もしたら、すぐ地上に帰ってきたくなってくるからさ。だから、大本のときにやったし、その前も、なんか……。

「安政《あんせい》の大獄《たいごく》」では、橋本左内《さない》について密告をした

里村　明治時代ですか。

島田守護霊　明治維新のときの思想家も、今でいう「言論家」だわな。まあ、言論家であるけれども、各人が淫祠邪教をつくってるようなものだからさ。そういうときに、それを倒す側で活躍したことがあるような気がする。

里村　例えば、安政《あんせい》の大獄《たいごく》などで？

島田守護霊　そうそうそう。よく分かってる。君、教養があるなあ。

酒井　誰を陥《おとしい》れたのですか。

島田守護霊　安政の大獄のときには、ずいぶんやったような気がするなあ。

酒井　橋本左内《さない》とか？

島田守護霊　なんで分かるの？　あんた、たまには霊感があるのか。

酒井　どんぴしゃりですね。

島田守護霊　ほめてやろう。当たったわ。今のは、当たった。

酒井　橋本左内だけではないですよね？

島田守護霊　そりゃそうだ。まあ、みんな狙っている。今、あんたがたを狙っているのと一緒でね。オウムのように、逃げ通そうとする指名手配犯がいるからな。

酒井　あなたは、井伊直弼《いいなおすけ》の犬のような存在だったわけですか。

島田守護霊　犬！　犬は綱吉《つなよし》だろうが。何を言ってるんだ。

里村　それは犬公方《くぼう》です。

島田守護霊　綱吉の時代にもいたんだよ。お犬様をいじめてるやつを密告する仕事があったからな。

酒井　あなたは、ずっと密告しているわけですか。

島田守護霊　マスコミはそういうもんじゃないの?

酒井　今、井伊直弼は生まれていますか。

島田守護霊　知らんなあ。あまりにも大物だから、わしには分からんなあ。

## 7　政治家や官僚と週刊誌の関係

### 幸福の科学包囲網をつくろうと考えている

里村　もう一点だけ、文藝春秋《ぶんげいしゅんじゅう》が「諸君！」をやめた理由についてお訊《き》きします。最近、ある人から、「文藝春秋社内で、左寄りの人たちの力が強くなり、それで『諸君！』が潰《つぶ》された」という話を聞きました。私は、「『諸君！』は、七〇年安保を前にして、危機感を持ってつくられた、文藝春秋の良心だ」と思っていたのですが、最近は、「左」が強くなっているようです。これには、何か、中国の影響などが出ているのではないでしょうか。

島田守護霊　経営が難しいからね。何て言うか、左翼政権ができたら、やっぱり厳しくなったんですよ。

「これからは、中国とも友好関係を広げ、貿易も増やし、共存しなきゃいけない」となると、そういう右翼的な雑誌があることで、生き残りを賭《か》けた戦いに負ける可能性があるからね。「いったん引いておいたほうがいいんじゃないか」っていう感じかな？

アメリカでオバマさんが出たり、日本でも民主党が出たりして、「時代がまた少し左に戻るのかなあ」っていう感じはあったね。

酒井　あなたは、心情的には、「左」ですか。

島田守護霊　いや、別に、「左」じゃない。っていうか、それほどポリシーはないんだけど、やっぱり、給料をくれる人のために情報を探索するのが仕事なんですよね。

酒井　スキャンダルでお金を儲《もう》けることが、あなたの仕事ですか。

島田守護霊　マスコミには、「右」と「左」があるように見えるけど、本質的には、権力者を追い落とすのが仕事だから、その意味では、みんな「左」なんだ。

酒井　あなたが幸福の科学を攻めようとしているのは、幸福の科学のことを、「権力機構だ」と思っているからですか。

島田守護霊　これは、もう、次の権力ですよ。はっきりしてますよ。ある意味で、総理よりも怖い権力を持っているところだ。あらゆる方面に手を出し始めてきたから、これは怖いですね。まもなく、池田の「帰天」か「帰地獄」か知らんが、そのあと、権力を握るのは、ほぼ間違いないのでね。

酒井　あなたの直感で行くと、そのとおりになると？

島田守護霊　だから、今のうちに網を張って、みんなで包囲網をつくっておかなきゃいけない。あなたがたは「中国包囲網」なんて言ってるが、俺たちは「幸福の科学包囲網」をつくろうとしている。

酒井　その認識がいちばん強い人は、あなたですか。

島田守護霊　いや、俺はそれほど大物じゃないよ。

酒井　もっと強い思いを持っている人がいるわけですね。

島田守護霊　もっと大物がいる。

酒井　どのへんにいるのですか。

島田守護霊　うーん。もっと大物が……。

ハハハッ。それをしゃべっちゃあ、おしまいよ。

酒井　同じ会社の人でなければ、話しても構わないのではありませんか。

島田守護霊　まあ、文春が、「幸福の科学攻撃の最大の拠点」なんていうことはないんじゃないか。

酒井　やはり、「週刊朝日」系ですか。

島田守護霊　ああ、それはないと思うがねえ。

いや、それをばらすのはちょっとね。やっぱり、「取材源の秘匿《ひとく》」っていう問題があるから、良心的に、それは、なかなか言えない。だから、みんなで共闘して記者クラブをつくらないとな。

酒井　「共闘して」というのは、責任の所在がはっきりしないですね。

島田守護霊　まあ、「どこがいちばん狙《ねら》っているか」と言ってもねえ、それは狼《おおかみ》が遠《とお》吠《ぼ》えしながら、遠巻きに獲物を見てるような感じだな。

おたくは、立ち上がったら三メートルもある大きな熊《くま》みたいなもので、下手に近寄るとバシャーッと熊手ではねるからさ。遠巻きにしながら「ウォー」って声を上げてるのが、今の状況だな。

だから、どこかで大ちょんぼをするのを待ってる。「大ちょんぼをしたら、そこへ一気に襲いかかって、肉を分け合う」というか、「食い合う」という感じだなあ。

## 次の獲物として幸福の科学を狙《ねら》う

酒井　狼のいちばんのボスは、新聞系ですか。

島田守護霊　うーん。週刊誌では、講談社がいちばん強かったんだけど、あそこが十年戦って、「幸福の科学はもうこりごり」と言っている。まあ、この〝親玉〟が、今、一つ引退しておるのでね。

だから、本当は、幸福の科学叩《たた》きの記事を書ける材料を持っていて、もう少し書けるんだけど、怖いことは怖いのでね。あんたがたは、マムシみたいにしつこいからさ。あそこが逃げて、少し引いているのと、「ポスト」とかは、どっちかというと、心情的には、あんたがたをやや応援してるような感じには見えるなあ。

確かに、昔の「朝日ジャーナル」全盛の時代や、あるいは、岩波が全盛の時代であれば、当然、朝日系は、巨大な敵として立ちはだかってくるはずだけども、「週刊朝日」も、今のところ、本体の弱りと同時に経営的には弱くなってきてるので、それほど「強力」という感じではないし、朝日新聞なんかも割れているからね。

朝日新聞には、今、「幸福の科学に親和性がある」ところと、「相変わらずのスタンスで攻撃態勢を引いている」ところの二通りがあるので、攻撃的なことを言っても、反対のものがすぐ出てくるような感じで、バランスを取ってるよな。

そういう意味では、どこがボスかなあ……。

新潮は、創価学会を、長年、餌《えさ》にしてきたからさあ。創価学会を獲物にして、ずいぶん飯を食ってるからね。二十年は飯を食ってるんじゃないか。「あれは、おいしい餌で、ずいぶん食えたのに、もうすぐ、その餌がなくなるんじゃないか」っていうことで、経営危機を感じてるわけよ。

創価学会ネタがもうすぐ面白くなくなる、要するに、巨大教団が崩壊してなくなると、もう食えないからさ。しかし、次の獲物は、幸福の科学だよ。〝新規事業〟として、幸福の科学を狙《ねら》ってるわけだな。

酒井　では、新潮と文春がボスですか。

島田守護霊　いや、でも、われらは、本当は、「思想的にそれほど距離がある」とは思ってないから、本当の敵ではないんだけどな。

本当の敵は、やっぱり、共産党系じゃないの？

酒井　しかし、あなたは、「幸福の科学がいちばんの金づるだ」と思っているのでしょう？

島田守護霊　そこまで落ちてないよ。まだ芸能ネタで十分、食っていけるからね。

酒井　あなたは、この記事を主導しているわけではないのですか。

島田守護霊　主導しているわけじゃない。「どこの週刊誌がリーダーになるか」っていうのは、実力によって決まるからな。

酒井　テレビ系や新聞系は、かかわっていない？

島田守護霊　テレビ系や新聞系は、おたくのことを、いちおう、全部、シャットアウトしてるからな。みんな、「扱わない」ということで、攻撃側でも防衛側でも、どちらでもないような感じにはなっている。

里村　テレビはそうですね。

酒井　共同戦線と言っても、文春と新潮しかないではないですか。

島田守護霊　基本的に、「金が儲かるかどうか」によって共闘するだけで、「儲かるならやる」ということだ。
だから、九一年のときには、「囲み取り作戦」で、「狼であるマスコミ全部が囲んで襲いかかるかたちで、肉を食い分けられるんじゃないか」ということで、おたくを叩いたし、オウム事件のときには、みんな、ずいぶん儲かった。あれは、うまかったよね。
経営危機のなかでオウム事件が起きてくれたため、一年間、新聞社から週刊誌まで潤ってよかったから、幸福の科学をできるだけ〝応援〟する勢力もあるわけよ。「できるだけ太らせ、大きくしておいてから、これを食べたら、やっぱり、おいしいだろう」と……。

里村　新潮に巣くう悪魔も、だいたい同じようなことを言っていました。

〝四十六のオバサン〟を増長《ぞうちょう》させて、教団の内部割れを起こさせたい

島田守護霊　まあ、そういうことは、われわれの本能としてはあるから、〝応援〟したいわけだ。
しかし、ここの総裁のほうは、ほめたって駄目なんだよ、通じないからさ。全然、

引っ掛かってこないから、駄目なんだ。

一方、この四十六のオバサンのほうは、ほめると増長《ぞうちょう》してくる、うぬぼれてるからさ。まあ、見てて分かるよ。この人は、自慢しかしない人だからね。

だから、今、「これを増長させて偉く見せることで、内部割れを起こし、獲物が大きくならないかな」と考えてる。

酒井　それは、あなたの考えですか。

島田守護霊　いやいや。「そういうふうに言ってる人もいる」ということだな。

酒井　それは、ベルゼベフですか。

島田守護霊　まあ、「ベー様」ほど偉い人は、そんなことはあまり言わないかもしれない。

里村　ベルゼベフより少し下で、あなたの上ぐらいの人が誰《だれ》なのか、知りたいですね。その人が、いろいろな作戦を立てている人のようですから。

島田守護霊　いや、文春には、基本的に、幸福の科学のシンパのほうが多いんだよ。

里村　ええ。社員のなかにも信者はいますからね。

酒井　あなたは、シンパではないですよね？

島田守護霊　やっぱり、生き残るためには、「イノベーション」って要《い》るじゃない？　君らもやってるじゃないか。日々、イノベーションなんだよ。

酒井　しかし、悪いことをしてはいけませんよ。

島田守護霊　別に悪いことはしてないよ。これは、社会を浄化する一環だ。

酒井　嘘を書いてはいけないんです。

島田守護霊　「幸福の科学が『世界を幸福にする』などと言いつつ、その足元で不幸を生産しているところを、ちゃーんとスクープする」っていうのは、マスコミの良心なんだ。

里村　今回のことは、当会にとって、信仰上のイノベーションでもあり、不幸をつくっているわけではないのです。

島田守護霊　マスコミの良心ですよ。

こんな、地獄霊から罵《ののし》られてるような、カエルとブタを合成して遺伝子操作でできたような広報局長を偉くするよりは、やっぱり、奥さんをかわいがらなきゃいけないんだよな。

そういう人情にもとるところを、幸福の科学の弱点として、今、攻めるべきだ。

酒井　要するに、あなたは、「きょう子氏を焚《た》きつけて、事件を大きくし、お金を儲けたい」ということですか。

島田守護霊　今、資金源が尽きてきてるから、幸福の科学の信者を、ちょっと、奥さんに付けてやらなきゃいけない。

酒井　「週刊文春」の増収戦略としては、そこですね。

島田守護霊　信者を付けることによって、別派をつくってくれるのが、いちばんありがたいんだよ。本人が願ってるとおりに、三万人ぐらいの教団をつくらせてやりたいね。そして、幸福の科学と戦ってほしい。激しい内ゲバをずっとやってくれたらありがたい。

## 政治家などから、記事に関して依頼が来る

酒井　ところで、あなたの後ろに、政治系などがついていませんか。

島田守護霊　私らは、基本的に政治専門だよ。

酒井　政治系の団体はついていませんか。

島田守護霊　え？　団体？　団体って、どういうことよ？

酒井　政党などのことです。

島田守護霊　ああ、なるほど。「政党がついてるか」っていうこと？

里村　そうです。

島田守護霊　自民党の時代には、自民党から政治の情報が取れたので、自民党の人たちと付き合っておればよかったんだけど、今は、民主党政権になったじゃない？

里村　はい。

島田守護霊　だから、政治問題について記事を書こうとしたら、民主党から情報を取らざるを得ないでしょう？　民主党との交流は増えてきてるから、その意味で、やや、左翼的な思想が入ってきてるのは、しかたがないんだよ。民主党のほうから情報を取らないと、政治記事は書けないからね。

　だから、いちおう、社員の一部は、本心かどうかは知らないけども、左翼化して見せないといけない。そうしないと、民主党と付き合えないからさ。仲がいい振りをしないと情報が取れないんだ。

酒井　当会に関して、何か意見を言ってくるところはありますか。

島田守護霊　政党が？　それは、ないわけではない。ときどき言ってくる。

酒井　どう言ってくるのですか。

島田守護霊　「週刊誌として毅然《きぜん》たる態度を取るように」ということだな。

酒井　それは、どういう意味ですか。

島田守護霊　つまり、「週刊誌の使命を果たすように」ということだ。

何というか、今後も、マスコミとして、言論の自由を守って生き延びるためには、社会的使命を果たさなければいけないんだ。

酒井　具体的にいうと、どういうことですか。この記事を出すことですか。

島田守護霊　「社会的使命を果たす」というのは、「宗教法人の悪いところを、ちゃんとえぐり出し、『宗教法人課税は善である』ということを、人々に知らしめる」ということだ。「人々をそちらのほうに〝善導〟していただきたい。ぜひとも、民意をそちらのほうに持っていっていただきたい」という依頼は来るよ。

里村　最近、そういう依頼があったのですか。

島田守護霊　それを言う出所は決まってるわな。それは、国税であり、財務省であり、財務大臣であり、総理大臣でしょうね。

里村　「今週、二つの週刊誌に、宗教法人課税についての記事が載った」というのは、偶然とは思えません。

島田守護霊　だって、野田は、財務官僚に踊らされてるだけですからね。

## 財務官僚が最も恐れているのは幸福の科学

島田守護霊　財務官僚が最も恐れてるのは、「大川隆法」ですよ。ここが、いちばん怖いのでね。

酒井　よくご存じですね。

島田守護霊　財務官僚が幸福の科学をいちばん恐れてますよ。

酒井　あなたは財務省系の人と会うことがあるのですか。

島田守護霊　うん、まあ、それを言っちゃあ、おしまいだけど、紀尾井町の近辺には、飲み食いする所はいっぱいあるわな。

酒井　リークしてくる人たちがいるのですか。

島田守護霊　政治家や官僚との付き合いなくして、編集長なんてのは成り立たんわな。

酒井　成り立たないのですか。

島田守護霊　基本的にはな。

だから、財務省は増税したくてしょうがないでしょう？　その路線で、マスコミは、だいたい多数派形成ができてたのに、それを壊してきたのが、幸福の科学じゃねえか。だろ？　おまえらじゃないか。

酒井　今回の記事は非常に唐突だったのですが、これは、一月に『日銀総裁とのスピリチュアル対話』という本が出たことと、関係があるわけですか。

島田守護霊　へへへへ。「次は財務省がやられるんじゃないか」と恐れてるんだよ。

里村　今回、日銀は、実質的にインフレ目標を導入しましたが、何だか、「ものすごい急ごしらえ」という感じがするんですよ。

島田守護霊　びっくりした。その衝撃は、日銀や財務省にも走り、政治家にも走ってるけども、マスコミ界にも衝撃が走ってるよ。「こんな霊言みたいなもので政策に影響が出る」っていうことは、歴史的に考えられないことなんだ。

綾織　具体的に恐れているのは、「財務省幹部の守護霊が当会に呼ばれてしまう」ということですか。

島田守護霊　次は、財務省の事務次官が危ないか、それとも国税庁の長官が危ないのか。ただ、「誰かがやられる可能性がある」ということで、いちおう向こうも警戒に入ってるよ。

酒井　そんな情報まで、あなたに流れてくるのですか。

島田守護霊　「流れて」って？　誰が考えたって、次は、このへんがやられるだろうよ。やらないのか？

日銀総裁をやって、財務省幹部をやらないなんて、そんなの片手落ちもいいところだ。だって、財務大臣なんて、あんなの「ぼんくら」だからさ。守護霊を呼んだって、何も分かってないのがばれてしまうから、やったって、面白みがないでしょう？　あんたがたもマスコミ体質を持ってるから。相手が強くないとやる気が出ないでしょう？

安住《あずみ》さんなんて呼んだって、中身は空っぽに決まってるじゃないか。

綾織　そうでしょうね。

島田守護霊　本にならないだろう。

里村　あなたはご存じないかもしれませんが、先日、民主党の国会議員のみなさんが集まった勉強会で、財界の大物が、「大川総裁の著書『日銀総裁とのスピリチュアル対話』を読め」と言って、勧めたのです。

島田守護霊　いや、そんな情報は、もうとっくにキャッチしてるよ。

里村　キャッチされていましたか。

島田守護霊　当たり前じゃないか。とっくにキャッチしてる。

幸福の科学の浸透力が、どの程度まであるか、今、一生懸命、測ってるところだけど、「けっこう根深く入ってる」っていうのを感じてるな。

里村　その反動が、今回のようなかたちの記事になったわけですか。

島田守護霊　基本的には、役所は一枚岩じゃないんだよ。財務省は、いちおう用心はしてるけど、防衛省や自衛隊などは、あんたがたに対して、「もうちょっと頑張ってほしい」っていう気持ちも持ってる。だから、ときどき、あんたがたを応援する味方も、いることはいるんだ。

財務省も一枚岩じゃない。財務省のなかで、大川隆法を直接には知らない人は、まだ違うけど、知ってる人間は、「大川隆法は怖い」っていうことを、よく知ってるんだよ。だから、「どうにかして関係をうまく修復できないか」っていうことが、今、言われてる。

里村　なるほど。

島田守護霊　「あそこまで行くと、もはや無理だ。普通の友達みたいな感じで会って話し、頼んだりすることができるような状態でない。もはや立場が変わりすぎてるので、もう無理だ。財務省の局長ぐらいが、会って話してもらえるような相手ではなくなってきてるので、もう無理だ」と言ってる。

財務省のなかには、大川総裁の東大時代の友人たちがいるから、当然、大川総裁のことを知ってるんだけれども、その怖さも知ってるんだよ。大川隆法については、大学時代に「天才だ」という噂《うわさ》が立ってるから、彼らは、もう十分に怖さを知ってるんだよ。

## 財務省は「週刊誌に幸福の科学を襲わせたい」と考えている

綾織　教えてもらいたいのですが、財務省に影響を与えているのは、あなたがいつも指示を受けている悪霊などの悪魔的な存在なのですか。

島田守護霊　まあ、そんなことはないんじゃないか。財務省は、いつも同じだから。

里村　いつも同じ？

島田守護霊　いつも同じだから。いつも、税金は欲しいし、税金をばら撒《ま》くことで権力を増大させたいし、何か事件が起きたら焼け太りをしたいし、それは、いつも同じだわな。

里村　要するに、日銀がインフレ目標を設定することは止められなかったけれども、増税を邪魔されるのが嫌なのですね。

島田守護霊　はっきり言って、今回、財務省はマスコミまでまとめてます。

里村　やっていますね。はい。

島田守護霊　「課税するぞ」とか、「消費税を、ちょっとまけてやるぞ」とか、いろいろと上手に言って、新聞系統とテレビ系統を全部まとめるのに成功した。また、総理大臣や財務大臣のあたりも、全部、自分たちの手のひらの上で踊らせている。

だけど、大川隆法が発射してくる〝ミサイル〟がきついんだよ。これで破壊されるので、民主党の議員までもがぐらついてくるし、小沢一郎あたりまでもが裏から動かされてるように見えるので、もう、「これは陰の策士だなあ」とは見ている。

だから、「これの対策をどうするか」っていうので、「大川隆法と顔見知りのやつを使者に立てて、何とか懐柔できないか」という密談等はしてるみたいなんだけど、大川総裁を知ってるやつほど、「勝てる相手ではない」っていうか、「彼は絶対に信念を曲げないので、行ったって無駄だ。自分が考えたことに対しては絶対に曲げないから、無駄です」と言うんでね。

里村　なるほど。

島田守護霊　だから、今回の増税を止めるのは、ここ（幸福の科学）だろうよ。あんたがたが止めるんだろう。だけど、本来、こんなことは、宗教がやっていいようなことじゃないわな。これは、宗教じゃなくて、政治マターの問題なんでね。

綾織　先ほどのチームのなかには、財務省の一部も入っている状態なのですか。

島田守護霊　財務省は、「恨みを持ってる」っちゅうか、税金で脅せば、どんな企業だって、全部、言うことをきくし、「予算を削るぞ」と言えば、どんな省庁だって言うことをきくし、政治家だって、「税務調査をするぞ」と言えば、みんな、もう黙ってしまい、総理大臣でさえ押さえ込めるんですからね。

だから、「宗教法人課税をちらつかせて、宗教のほうを黙らせ、言論誘導をする」っていうことは、やれるけどね。創価学会も、政党を持ってるから手強いけど、幸福の科学も、けっこう手強いので、噛《か》みついたら、逆に噛んでくる可能性があるんでね。このへんについては、よく知っているから、幸福の科学の天敵をたんとつくりたいわけよ。自分らの手を汚さないで、幸福の科学を襲わせたいわけだな。それを襲わせるのに、何がいいかといったら、やっぱり、週刊誌あたりがいちばんいいわけでね。

酒井　それを買って出たのは、あなたですか。

島田守護霊　買って出たわけじゃなくて、「普段の付き合いからいって、やっぱり、そのぐらいのことはしないと、今後、情報をもらえないいんじゃないかな」という……。

里村　それは、普段からの、しかも、ずっと昔からの付き合いなんですよね。

島田守護霊　やっぱり、経営の安定から見てね、将来的にも政治情報とかをいち早く手に入れるためには、そういう官僚などの情報は非常に大事だからさあ、その意味では、たまに恩を売っとかないといけないじゃないか。

## 8　悪魔と大川きょう子の連動

### 大川きょう子に関する記事は「羊頭狗肉《ようとうくにく》」だった

酒井　以前、この某女史を利用して記事を書き、あなたは、いったん失敗したではないですか。

島田守護霊　「失敗」って……。成功してるじゃないか。それで彼女は有名になったじゃないか。

里村　ただ、一時的には、「失敗だった」と言って、引いていましたよね。

島田守護霊　うーん。まあ、だから……。

酒井　彼女に騙《だま》されてしまったのではありませんか。

島田守護霊　あれは「羊頭狗肉《ようとうくにく》」だったからね。記事の題はちょっと大きかったけど、記事の中身はあまり大したことがなかった。それについての自覚はあるよ。題は、ちょっとすごかった。「おお！」と思ったけど、中身はそんなに大したことはなかった。

酒井　中身がない？

里村　彼女が教団を破門された日は今から一年前なんですが、ちょうどその日に、今回の記事が出たんですよ。

島田守護霊　うーん。

里村　まさにタイミングを合わせたかのような記事だったのです。

島田守護霊　うーん。でも、霊界のほうの働きもあるけどね。向こう（大川きょう子）は、けっこう、「大川隆法は周りにかなり影響されやすい人」と思ってるらしいけれども、「大川総裁が、『何とか、破門を解いてやれないか』などと考え始めると、悪魔が動き出し、週刊誌のほうに依頼に来て、記事を出す。そうすると、それが遠のく」

というかたちに、いつもなってるんだよ。いつも、そのタイミングで記事が出るようになってるね。

里村　仏の慈悲にすがろうというか、何というか……。

島田守護霊　そうそうそう。弱みがあるからねえ。まあ、哀《あわ》れと思うだろう？　だって、二、三年前には、「日本のサッチャーになろうか」って言って、顔を売ってた人がさあ、ゴミの山の前に立ってるなんて、もう、哀れを誘うじゃないか。

里村　いや、全然哀れじゃなくて、自業自得《じごうじとく》です。

島田守護霊　宗教家だったら、もう助けに行ったらいい。

酒井　ちょっと待ってください。彼女は東北の支援に八千万円もバーンと出してるんですよ。

島田守護霊　うん。もとは教団のお金だったものをね。

酒井　「その日に食べるお金もない」ということなら、「哀れ」と言うのも分かりますが、八千万円をどんどん使って活動しているんですよ。

島田守護霊　いや、そのへんの矛盾については、十分につかんでるよ。ただ、われらには、基本的に、「組織に対しては厳しいけど、個人に対しては、あまりいじめすぎない」という原則はある。

## 彼女のダーティーな情報を記事にしない理由

里村　ところが、彼女は、慈悲魔のごとく振る舞っておきながら、「現地の方たちはタダに慣れた。この人たちは心が壊れてしまった」などと書いているのです。

島田守護霊　うーん。まあ、それを書いたら、記事にならないじゃないか。

酒井　だから、記事としては矛盾しているのです。「経費が八千万円」というのは、おかしい。

島田守護霊　「彼女は、いちおう、弱い立場にある」ということだし、その原因をつくったのは俺たちであることぐらい、分かってるからなあ。

酒井　「もっと哀れな記事を書かないといけない」ということですか。

島田守護霊　「週刊文春」や「週刊新潮」が原因をつくって、教団を破門され、金も取れなくなり、哀れな状況に追いやられていて、今、便所掃除のボランティアまでしなきゃいけなくなってるけど、俺たちにも責任があることは分かってるからね。彼女については、そういうダーティーな情報も持ってるが、それを書いたんじゃ、帳消しになっちゃうじゃないか。

里村　いやいや、彼女の行動は、現地では、実際には、むしろ、「雇用の邪魔だ」と言われたりしています。

島田守護霊　それは「ザ・リバティ」が言うべきであって、うちが言うべきじゃないでしょう?

里村　いや、でも、「文春」さんは、やはり、そこまできちんと書かなくてはいけないのではないでしょうか。これでは、ただの〝ヨイショ記事〟で終わりますよ。

酒井　ええ。だから、あなたも、朝日新聞と同じように、下手をすると、「蝿《はえ》の王に操られている」と書かれてしまいますよ。

島田守護霊　それは……。

里村　尻尾《しっぽ》を出してしまうんです。ベルゼベフのことを書かなくてもいいのに、今回の記事のように、わざわざ、「霊言によれば、きょう子さんは蝿の王ベルゼベフに操られているそうだ」と書いてしまうんですね。

島田守護霊　ベー様……。

里村　しっかりと尻尾を出しています。

酒井　あなた、「蝿の王」って言われたら、どう思いますか。

島田守護霊　彼女は、きちんと反論をしたじゃないか。

里村　「バカバカしい」とですか。

島田守護霊　「バカバカしい」と。

酒井　「バカバカしい」のですね。

島田守護霊　これは、素晴らしい一言ですよね。だから、あなたがたも、「週刊文春」に対して、「バカバカしい。こんなもの、私たちは、全然、相手にしない。バカバカしい」って言うじゃないか。

## 悪魔ルシフェルは新潮のほうが好き

酒井　なぜ、あなたは、ベルゼベフに関することを、わざと出してきたのですか。霊的な話など書かなくてもいいではないですか。

島田守護霊　彼女は、もう今では唯物論者だからさあ、別にいいじゃないか。

酒井　あなたは、なぜ、この部分を選んだのですか。この「蠅の王ベルゼベフ」というところを。

島田守護霊　うん？　霊言に書いてあったでしょう？　『現代の法難』か何かで。

酒井　しかし、ここを取らなくてもいいではないですか。ルシフェルだっているわけですから、別に、そちらでもいいはずです。

島田守護霊　うん。まあ、そうだね。うん、いやあ、それは……。

酒井　ルシフェルのことを書けばよかったではないですか。

島田守護霊　ルー様は、ちょっと、うちよりも、まだ「週刊新潮」のほうがお好きだから……。

酒井　来てくれないのですか。

島田守護霊　いや、来てくれないことはないけど、あちらのほうに優先権があるのでね。

里村　「週刊新潮」のほうには〝下半身記事〟が多いですからね。（注。ルシフェルは色情系が得意な悪魔である。）

島田守護霊　うん。「週刊新潮」のほうで書くことが多すぎて、記事が余ったら回ってくる。

## 蠅《はえ》のように「臭いものにたかる」のは週刊誌の本性

酒井　「週刊文春」のほうは、お金の記事が多いですよね。

島田守護霊　うん。まあ、そうだなあ。でも、どっちかといったら、「週刊文春」のほうが、硬派というか、政治ネタとか、そちらのほうが多いな。

酒井　そうすると、「蠅《はえ》の王に操られている」と書いても大丈夫ですか。

島田守護霊　蠅の王？　だ、誰《だれ》が？

酒井　今回のあなたに対するインタヴューを本にしたとき、そのなかでです。

島田守護霊　「週刊文春」が蝿の王に?

酒井・里村　はい。

島田守護霊　蝿っていうのは何だろうね。蝿って、たかる……。蝿っていうのは、「たかる」ということ?

里村　ええ。

島田守護霊　たかる。蝿は、たかる。何にたかる?　臭いものにたかる。まあ、週刊誌の本性じゃないか。

里村　ええ。

島田守護霊　臭いものにたかるのは私たちの本性。

酒井　では、そのとおりでよろしいですか。

島田守護霊　当たり前じゃないか。臭い所にとまるのは蝿でしょう?

酒井　では、蠅の王ベルゼベフが……。

島田守護霊　銀蠅じゃない。

里村　週刊誌という蠅が集まって、たかっているわけですね。

島田守護霊　別に、それは……。ウンチみたいなものにたかりに行くのは当然だからな。だから、便所と関係はあるよ。週刊誌と便所は非常に関係があるよ。うん。

酒井　では、この「トイレを掃除する」という記事は、もう、「週刊文春」そのものであるということですか。

島田守護霊　いや、それは、トイレじゃなくて、トイレにたかる蠅とか……。

酒井　それが週刊文春？

島田守護霊　その虫とか、そちらが週刊誌だよな。

## “蠅《はえ》の王”ベルゼベフは、天使ガブリエルの対抗馬

酒井　なるほど。では、「週刊新潮」や「週刊文春」も蠅《はえ》の王ベルゼベフに操られているわけですね。

島田守護霊　うーん。まあ、ベルゼベフっていうのはねえ……。だから、ルシフェルが、あれでしょう？　ミカエルの対抗馬なんでしょ？
そして、ベルゼベフっていうのはねえ、天使の通信役のラファ……。

里村　ガブリエル？

島田守護霊　ガブリエルか。

里村　はい。

島田守護霊　ガブリエルの対抗馬がベルゼベフなんだよ、実はなあ。

里村　ほお。

島田守護霊　だから、ベルゼベフっていうのは、実は通信役なんだよ。

里村　ほおほお。

酒井　通信役ですか。

島田守護霊　うん。情報通信を担当してるんだ。だから、〝総務省〟なんだよ。

里村　ベルゼベフはガブリエルとずっと戦っているわけですか。

島田守護霊　知らないけども、仕事的には、それに対応する仕事をしてるっちゅうことだな。

酒井　そうすると、やっぱり、「マスコミ系だ」ということですか。

島田守護霊　そうだな。だから、マスコミ系はベルゼベフが総括してるんだよ。

里村　ああ、なるほど。情報通信のほうですからね。

酒井　だから、「プロジェクト」と言われているわけですね。
島田守護霊　そうそう、そうそう。総括はしていらっしゃる。
酒井　マスコミ系のプロジェクトを？
島田守護霊　総括していらっしゃる。

## 大川きょう子氏が持っている欲とは

酒井　それで、今、いちばん操りやすいのは週刊誌系ですか。
島田守護霊　いや、だってさあ、週刊誌を、みんな、基本的に信用してないじゃないか。だから、何を書いたって、そんなにダメージがないわけよ。
酒井　なるほど。
島田守護霊　間違っていたって構わないのは週刊誌じゃないか。だから、〝散弾銃〟なんだよ、週刊誌っていうのは。

酒井　散弾銃ですか。

島田守護霊　散弾銃の弾をバーッと二、三十発撃つと、その弾にスズメが当たって落ちる場合がある。あと、無駄弾を撃つことを許されてるのが週刊誌だね。新聞になると、すぐに、間違ったことの責任を問われるから、下手なことは書けないじゃないか。

里村　でも、本当は、週刊誌も、きちんと責任を問われないと駄目なんですけれどもね。

酒井　そうですね。

島田守護霊　週刊誌は責任を問われないし、謝罪文を書くときは何年かあとだから、そのころには、みんな忘れてるんだよ。

里村　まあ、そうですね。

島田守護霊　うん。だから、その前に儲《もう》けて利益を抜いたら終わりなのよ。

里村　ご自身は、昨年の年末にも、誌面に「お詫《わ》び」と「謝罪」を出していましたが、その裏でペロッと舌を出してる感じですね。

島田守護霊　まあ、週刊誌っていうのは、どこも、「敗訴判決」の山だからさあ。

里村　最近は特にそうですね。

島田守護霊　それで、「いくら負けてるか」というのを、お互いに競争してるぐらいだ。

酒井　なるほどね。それが〝使命〟ですね。

綾織　最後に、ベルゼベフからの情報として何か伝わっているものがあれば、教えてほしいのです。あなたは、きょう子氏が、五月いっぱいで東北の事務所を引き払ったあと、どういう行動をすると聞いていますか。

島田守護霊　うーん。まあ、やっぱり、あれじゃないですか、評論家みたいになりたいんじゃないですかね。

綾織　評論家？

島田守護霊　こうやって、できるだけ名前を売り、できたら宗教評論家みたいになりたいし、「幸福の科学ウォッチャー」で飯が食えたら、もっといいですよね。

つまり、いつも引き合いに出してもらえて、それを足場にし、いろんなことに対してコメンテーターみたいに出てこられてね。これこそ、あれじゃないの、大阪の橋下《はしもと》市長みたいに、ああいうコメンテーターで出て、名前を売り、「どこかで、もう一暴れしてみたい」という気持ちがあるんじゃないかなあ。

綾織　では、「それを応援していく」ということになるわけですね。

島田守護霊　彼女が、そういう欲を持ってることぐらい分かるよ。欲は持ってるからね。それは分かるよ。

里村　ベルゼベフも含めて、みなで、それを応援していくのですか。

島田守護霊　いや、応援していくかどうかは分かんないけどさあ。やっぱり、欲があるのは、はっきり分かるよ。

## 大川総裁の〝ミサイル〟の命中精度は高い

里村　それに関連して、きょう子氏以外にも、例えば、元職員だとか、そういう者をいろいろと使うことは考えていませんか。

島田守護霊　それは、もう、今までも、ずいぶんやられたんじゃないの？　とっくにやられてるよ。

里村　でも、何か、そういう仕掛けを考えていませんか。

島田守護霊　まあ、別に私が編集長でなくても、とっくにやられてると思うよ。そういうことは、すでに、過去二十何年の間に、何回もやられてるよ。

里村　宗教にいた人は、やはり、「名誉欲」とか、そういうところで、非常につかまえられやすいわけですね。

島田守護霊　最近、大川隆法の〝ミサイル〟がねえ、昔に比べて少し命中精度がいいんだよ。ちょっと性能が上がってきてさあ、何か、トマホークみたいによく当たるので、ちょっと困ってるのよ。だから、別の意味で悩みが出てきているわけでね。昔は、ちょっとおかしいことを誇大妄想的に言う気《け》があったので、もう少し足をすくえたんだが、今は、何か、マスコミ的に狙《ねら》って、撃ち落としてくる。

綾織　過去においても、誇大妄想など何も言われていません。

里村　ええ、誇大妄想でも何でもないのです。

島田守護霊　あんたら、宇宙人の記事を書いてさあ、ああやって謝罪するなんて（注。「ザ・リバティ」は、宇宙人の記事のなかに誤報があったことを次号で謝罪した）、マスコミにあるまじき、品性の落ちることをするんじゃないよ。

綾織　いえいえ。それはマスコミとしての正しいあり方を示したのです。

里村　それは品性に則ったことですよ。

島田守護霊　いったん載せたらねえ、間違ってても、最後まで「ほんとだ」って言い抜け！

綾織　いえいえ。

里村　今日は、本当に、いろいろとお聞かせていただいて、ありがとうございました。

島田守護霊　う……。

大川隆法　そうですか。（島田守護霊に）ありがとうございました。何だか、けっこう〝頑張っている〟ではありませんか。この編集長は〝頑張って〟いますね。

里村　よく話してくれました。

大川隆法　意外に〝頑張っている〟ではありませんか。さすがに、よくしゃべりますね。隠れている人でしたが、今回の霊言で有名になるでしょう。

酒井　（笑）

大川隆法　今度は、この人への取材が殺到し、ほかの週刊誌が、この人のことを書いてくれるかもしれません。

特に、「週刊新潮」は喜ぶでしょう。「週刊新潮」は、「なぜ『週刊文春』の場合は霊言が出ないのだ。『週刊朝日』のときには、『悪魔』という言葉を、わざわざ『守護神』に置き換えたのに、なぜ、うちに対しては『悪魔』という言葉を使ったのか」と思っていたでしょうから、今回の『「週刊文春」とベルゼベフの熱すぎる関係』というタイトルを、〝おいしく〟感じるでしょう。

里村　はい。

大川隆法　どうぞ、お好きなように〝共食い〟をしていただきたいと思います。

# 第2章

# ベルゼベフに「週刊文春」との関係を訊《き》く

二〇一二年二月二十三日　収録

# 1 「週刊文春」の今回の記事の狙《ねら》い

## 悪魔ベルゼベフを招霊《しょうれい》する

大川隆法　ほかに、調べる人はいますか。

酒井　いちおう、これで、「週刊文春」とベルゼベフは熱い関係であることが分かりましたので……。

大川隆法　ベルゼベフは要《い》りませんか。

酒井　ベルゼベフは、言うことはだいたい分かっておりますが。

大川隆法　私がくたびれていると思っているのであれば、（チャネラー〔霊媒《れいばい》〕を指して）そちらに入れますけれども。

ベルゼベフはしゃべらないかな？　簡単には裏取りできないでしょうか。やはり、ベルゼベフのインタヴューが、三十分は欲しいところです。少しだけ行きましょうか。「週刊文春」と関係があるかどうか、裏取りをしないと、やはり、取材として十分ではありません。

里村　ありがとうございます。

大川隆法　ベルゼベフの霊言を少しだけ録りたいと思います。三十分以上は行かないようにしましょう。

里村　はい。

（チャネラーが、聴聞席《ちょうもんせき》から出てきて、前の席に座る）

大川隆法　ベルゼベフが、本当に、島田編集長と関連を持っているのかどうか、調べたいと思います。

ベルゼベフは、キリスト教系の悪魔では、ナンバーツーと言われています。

当会は、「ベルゼベフはバアルと同一の存在である」と判定していますが、『悪魔辞典』等を読むかぎり、別の存在だと思っている人もかなりいるようです。エクソシスト系の映画を見ても、別の悪魔だと判定しているものが多いのです。地上に生まれた時期が違うのかもしれませんが、当会としては、共通の存在であると考えています。

基本的には、お金に関心のある悪魔であると推定されます。金銭欲など、いろいろな諸欲に関係がある悪魔なのです。

では、いったん、私の体のなかに入れて、それから、チャネラーに移します。

キリスト教系の地獄霊ナンバーツー、ベルゼベフを招霊《しょうれい》します。

ベルゼベフよ、どうか、降りてきなさい。「週刊文春」と関係があるかどうかについて、あなたに意見を聴きます。

ベルゼベフよ、どうか、降りてきなさい。

（約十秒間の沈黙）

ベルゼベフ（以下、「べ」と表記）　失礼だろうが！

里村　今、ずっと見ていました？
べ　失礼だろうが。
里村　何が失礼ですか。
べ　「べー様」とは何だ。君ね、私だって日本語の感覚ぐらい分かるんだ。「べー」っていう言い方は悪いよ。
里村　それは、島田編集長の守護霊が言ったのです。
べ　「べー」って、どういうことだ。今、べーって（舌を）出してみろよ。そうされたら、おまえも怒るだろうが。
酒井　われわれは、きちんと名前で呼んでいます。
里村　われわれに文句を言われてもしかたがありません。
べ　「ぺー様」っていうのは聞いたことがある。

大川隆法　では、（チャネラーを指し）そちらに移動します。はいっ。

（約五秒間の沈黙。ベルゼベフの霊がチャネラーに入る）

## 今の「週刊文春」は、悪魔にとって「使い勝手がいい」

べ　ああ？　何だよ。

里村　今の、島田編集長とのやり取りを見ていて、どうですか。

べ　おまえらの智慧の低さが示されたんじゃねえのか。

里村　どういうところが低いのですか。

べ　おまえらなんか、しょせん、その程度だよ。

里村　島田編集長の守護霊は、あなたとの関係をかなり語っていました。

べ　あんな雑魚《ざこ》相手に一時間何十分もやってる時点で、「おまえらが雑魚」って証拠なんだよ。

里村　島田編集長の守護霊は、部隊長の役割をしているようですが。

べ　部隊長ぐらいだろう？

綾織　全体戦略のなかで、「週刊文春」は、どういう位置づけですか。

べ　ん？

綾織　先ほど、「チームを組んでいる」という話もありましたが、あなたは、かなり忙しく〝指導〟しているようですね？

べ　文春は、日本のなかで、よく読んでるやつがいるだろう？　だから、よく使ってやってるんだよ。

酒井　彼の上司とかは使っていないのですか。

べ　上司？

酒井　はい。文藝春秋社《ぶんげいしゅんじゅう》の社長とか。
べ　社長は……、よく分かんねえな。
酒井　菊池寛氏《きくちかん》（文藝春秋社の初代社長）はご存じですよね？
べ　菊池寛？　うん、知ってるよ。
酒井　彼から嫌がられていませんか。
べ　何をだよ。
酒井　あなたのことを。
べ　うーん。
酒井　菊池寛氏とは交流がない？
べ　知ってるけど、俺の玉じゃねえなあ。
酒井　「玉ではない」というか、あなたとは関係がない人ですよね？

べ　関係なくはねえよ。

酒井　どう関係しているのですか。

べ　関係なくはねえけど、「俺が直接指導する玉じゃねえ」ってことだよ。

酒井　しかし、島田編集長は直接指導しているわけですね？

べ　あいつは、使い勝手がいいいんだよ。

酒井　なぜ、島田編集長は、自分のプロフィールなどを外に出さないのでしょうか。

べ　おまえらが余計なことするからだよ。

酒井　いや、以前からですよ。

べ　ん？　違うよ。おまえらに余計な情報を与えると、おまえらは、その悪事を暴《あば》きに行くだろう？

酒井　しかし、もうすでに暴かれてしまったではないですか。
べ　まだ、全然、暴かれてねえよ。
酒井　まだ、何か隠しているのですか。
べ　あんな雑魚相手にやってる時点で……。
酒井　というと、文春には、まだ大物がいるのですか。
べ　俺は知らねえよ。
酒井　しかし、あなたは、以前、「朝日新聞の場合は、秋山社長を部下にしている」と言っていたではないですか。
べ　（舌打ち）うっせえなー。
里村　そういう大きな玉も使っている？
べ　朝日は使うよ。

酒井　また、以前の霊言では、あなたは、「『週刊新潮』を使うなんて、ルシフェルはバカだ」と言っていたではないですか。

べ　ああ、言ったよ。

酒井　新潮は、文春と同じぐらいの会社ではありませんか。

べ　文春なんか切って捨てりゃいいんだよ。使えるだけ使えばいいんだよ。

酒井　では、もう捨ててしまう？

べ　いや、今は、文春がいちばん使い勝手がいいだろう。おまえらが、「文春は、まともなこと書いてくれる」と思ってるからだよ。

酒井　私たちはそうは思っていませんが。

べ　日本人はそう思ってるな。

## 大川きょう子に評判を集め、幸福の科学の評判を下げようと企《たくら》んでいる

里村　今回のきょう子氏の記事には、どういう意図があったのですか。

べ　フン。

里村　あの記事は、あからさまな「ヨイショ記事」ですよね？

酒井　あなたは、去年の霊言で、きょう子氏について、「三月から全国行脚《あんぎゃ》させる」と言っていましたが、少し違うではありませんか。

べ　行脚するにはカネが要るんだ、カネが。

酒井　どのようにして儲けさせるのですか。

べ　ん？　分かんねえのか。おまえらはよお、ほんとに。だからな、カネが集まるところには、何があるんだよ。

里村　欲ですか。

べ　欲じゃねえよ。カネが集まるところには、地位と名誉が要るんだよ。多くの聴衆の支持っていうもんが要るんだよ。民主党みたいによ。

今、大川きょう子には支持が集まってねえんだ。信者も含め、世間の人も含めてよお。

東北の地方の人か？　彼らの評判っていうものが要るんだよ。だから、今、俺が、その評判を集めてやろうとしてるんだ。評判が集まるところには、カネが集まってくるんだよ。

酒井　この記事で評判が上がると？

べ　フフ。それは、まだ序の口だよ。

酒井　これからまだ仕掛ける？

べ　ああ、そうだな。

酒井　それは、「文春以外で」ですか。

べ　「文春をはじめとして」だよ。だから、何度も言ってんだ。雑魚相手に時間かけてんじゃねえよ！　ほんとによお。

酒井　要するに、あなたは、「先に出てきたかった」ということですね？

べ　そうだ。俺を先に呼べよ。大隊長を呼ばずに、あんな雑魚を呼んで……。まあ、「おまえらのレベルが、その程度だ」ってことを、俺は言ってんだよ。

酒井　大隊長を先に呼ばなくて失礼しましたが、では、大隊長の意見としては、どうなのでしょうか。なぜ、今回の記事が唐突《とうとつ》に出てきたのですか。これでは、人気稼ぎはできないのに……。

べ　そう思ってるうちが、おまえらの花だな。ハッハッハ。

酒井　大隊長の考えとしては、まだ次の手があると？

べ　おまえたちは、どうせ、今年の一年がどうなるか、予想もつかないだろう？
　俺は、今年一年を見据えてるんだよ。

酒井　では、着地点は？

べ　たぶん、今年、さまざまな混乱が起きるなかで、信者の心は、おまえたちの信仰から離れていくんだよ。
　家族を失ったりする人もいるだろう。そのなかで、大川きょう子が、救世主として立ち上がってくることがありえるんだ。

里村　それは、「天変地異が起きるなかで」ですか。

べ　まあ、天変地異もあるかもしれんがなあ。それ以外にも、さまざまなことが起きてくるだろう。

里村　戦争とか、侵略とか？

べ　そのなかで、週刊誌を使って、実際に大川きょう子の評判を上げることで、相対的におまえたちの評判が下がっていくんだよ。

酒井　きょう子氏は、どういうところで人気が得られると考えているのですか。

べ　だって、おまえたち、人の救済なんてしてねえからなあ。

里村　いや、人の救済をしています。

べ　してねえよ。ハッハ。

里村　私たちの活動は、人の救済ばかりです。

べ　おまえたちは、自分たちの権力のことしか考えてねえんだよ。

里村　そんなことは考えていません。

べ　大川きょう子のほうが、実際、人を救ってるんだよ。

綾織　当会は、「魂の救済」をしています。一方、大川きょう子氏がしているのは、この世の生きる人を、単に慰《なぐさ》めることぐらいにしかならないと思います。

べ　世間の人たちは、実際に救済する人の姿を見て、いずれは、あいつをマザー・テレサやナイチンゲールのように称《たた》えるんだ。

## 大川きょう子は、複数の悪魔の指導を受けている

酒井　あなたは、去年の霊言で、「きょう子氏を、マザー・テレサやナイチンゲールのような人として、世間に認めさせたい。そういう戦略で行くつもりだ」というように言っていましたが、いまだに彼女の人気は盛り上がらないですよね？

べ　分かってねえなあ。

酒井　「分かっていない」って？　では、この一年は、何のための一年なのですか。

べ　今年一年は、エル・カンターレ信仰が立つか、大川隆法がやられるか、どっちかなんだよ。

大川きょう子の玉は大きいんだ。おまえたちが思ってる以上にな。

里村　では、この一年、あなたは何をしていたのですか。この一年、あなたの言っていたようにはなっていませんよ。

べ　この一年は駄目だったんだ。

酒井・里村　駄目だった⁉（笑）

綾織　失敗したのですか。

べ　大川きょう子が日和見《ひよりみ》に出たんだなあ。

酒井　あなたの戦略はいいが、彼女の霊的な感度が悪いということですか。

べ　感度はいいよ。指導を受けてるんでな。ただ、大川きょう子も、いろんな指導を受けてるので、混乱するんだろう。

酒井　あなたの作戦を邪魔する人がいるのですか。

べ　「俺様の指導」と言やあ、俺は、世界紛争も起こせる悪魔の知恵を持っとるんだからな。

酒井　あなたを邪魔した人は誰ですか。

べ　ん？　何？　「邪魔した」って？

里村　彼女に別の指導を入れた人のことです。

べ　たぶん、ほかの悪魔だろう。

酒井　では、ほかの悪魔が失敗したわけですか。

べ　うん、余計な指導をいっぱいするんだ。俺が言うとおり動いときゃいいんだよ。

綾織　ほかの悪魔は何を言っているのですか。

べ　え？　知らねえよ、そんなのは。

酒井　それはルシフェルではないのですか。

べ　「ルシフェルより俺のほうが頭がいいんだ」って言ってんだろう、前から。

あいつは、ちょっと、新潮に傾倒しすぎるんだよ。
酒井　ルシフェルは、新潮からまだ離れていないのですか。
べ　知らねえ。どうなんだ？
酒井　あなたの部下の島田編集長は……。
べ　俺は、頭がいいからな、あの部下を、近衛隊長ぐらい、いや、近衛隊長じゃねえ、部隊長ぐらいに使ってだなあ、おまえたちをかき回しておいて、もっと本流の宗教本体を攻めようと思ってんだよ、今。
酒井　なるほど。そのための玉は誰ですか。
べ　「玉は、大川きょう子だ」って言ってんだろう！　大川きょう子が、そのうち教団から派生《はせい》していくよ。
酒井　ただ、彼女には〝妨害電波〟も入るわけですよね？

べ　彼女に妨害電波？

酒井　あなたの作戦以外の作戦を言ってくる霊のことです。

べ　ルシフェルとかがやってるんじゃねえのか、ほかのやつらがよお。

酒井　どうやって共同戦線を張るのですか。

べ　「共同戦線」って？　俺らは、それぞれ自由闊達《かったつ》に動いてんだ。

里村　それは、「てんでバラバラに」ということですよ。

べ　それぞれの意志の下《もと》に動いてんだよ。

酒井　「どちらがうまくいくか」という競争をしているわけですね？

べ　ま、いいんだよ、俺たちの目標は同じなんだよ。今、この人（著者のこと）を何とかしないといかんのだ。

酒井　なぜ、「今、しなくてはいけない」のですか。

べ　今がいちばん攻めどきだからだよ。分かんねえのか！　おまえはバカか！

酒井　逆に言えば、今、いちばん怖いのではないですか。

べ　違う。今年が、いちばん、おまえらが弱点をさらけ出すときなんだ。

## 2　幸福の科学の世界戦略をめぐって

### 今年公開される、幸福の科学の二本の映画を嫌がっているベルゼベフ

べ　おまえら！　いいか……。
　何だよ。あ？

綾織　島田編集長の守護霊が、「総裁の放つ〝ミサイル〟の精度が上がってきた」という話をしていましたが、今、何をされるのが、いちばん嫌ですか。

べ　だから、うーん、今、日本を沈没させるのが俺たちの仕事なんだよ。

酒井　それが最大の目的ですか。

べ　エル・カンターレが生まれたってなあ、日本がなくなりゃ、エル・カンターレな

んか、もう、いねえよ。ハッハッハ。

里村　いや、それは分かりません。

綾織　日銀総裁守護霊の霊言が出て、非常に困りましたか。

べ　フッ、あんな変てこな霊言を録ったって、大して影響ねえよ。

里村　いや、しかし、その本の影響で、日銀が実質的にインフレ目標を導入するなど、動きが出ています。

べ　そんなの、一時期のもんだよ。

里村　一時期ではありません。影響としては大きいですよ。

酒井　もしかしたら、今年の二本の映画が嫌なのではないですか。

べ　ああ、二本の映画、けしからんなあ、ほんとに。潰したいなあ。ま、どうせ、見る人いねえだろ、大して。

里村　いや、世の中の動きを見ると、たくさんの人がご覧になると思います。

べ　いねえよ、あんな映画。おまえらの映画なんか、信者しか見てねえじゃねえか。

里村　「今が攻めどき」というのは、要するに、今がいちばん怖いわけですね。

べ　日本経済を沈没させるんだ、今年一年でよお。

綾織　それは、どのようにやろうと考えているのですか。

べ　それを言うか。バカ。

ベルゼベフは、ロムニー氏がアメリカの大統領になることを望んでいる

酒井　あなたは、マモンの神ですよね？　「今、アメリカにも進出している」ということですか。

べ　アメリカは俺の指導の下《もと》に動いているよ。当たり前じゃねえか。

大川隆法　グローバル戦略を持っている？

べ　当たり前じゃねえか。

綾織　アメリカで、いちばん強く影響を与えているところは、どこですか。

べ　ウォール街だよ。

綾織　ウォール街のなかに入っている？

べ　当たり前だよ。

酒井　では、アメリカを弱くするのも、あなたの戦略ですか。

べ　当たり前だ。アメリカとイスラエルが、イランやアフガンなどと戦争するようにさせるのが、俺の仕事だ。このバアルの神の力によってな。

酒井　最近、いろいろな地獄霊を呼ぶと、あなたの名前がよく出てくるのです。ニーチェのときにも出てきました。

べ　当たり前だろ？　俺が全体で交響曲を奏《かな》でてるんだからな。俺の名前が出なきゃ駄目だ。

里村　バアルという名前は、モルモンの二代目ブリガム・ヤングの霊からも出てきました。「お仲間だ」って。

べ　ハッハッハ。

里村　彼は仲間ですか。

べ　俺の子飼《こが》いだよ。格が違うわ、格が。

綾織　共和党の指名候補者争いをしているロムニー氏には、何か影響を与えていますか。

べ　ロムニーが通るといいなあ。アメリカは〝大発展〟するだろう。

里村　応援しているのですか。

べ　えっ？　応援はしとる。しとる。いや、してない。分からんな。

酒井　応援というか、あなたは崇《あが》められていますよね？

べ　ロムニーがアメリカ大統領になれば、〝素晴らしい〟世界になるんじゃないか。

## 世界戦略を見ているのは「エル・カンターレ」

酒井　中国に対しては？

べ　中国は知らんな。そんなには知らん。

酒井　習近平《しゅうきんぺい》氏のことは、あまり好きではないのですか。

べ　いやあ、習近平はいいんじゃないか。あいつは戦争が好きだからなあ。ハッハッハ。

酒井　あなたとヒトラーは関係がありますよね？

べ　ヒトラーのことは今は知らんな。

酒井　ヒトラーを通じて中国を動かそうとはしていない？

べ　さあ、どうかな。知らんな。

里村　イランのほうは、どうですか。今、イランは妙に好戦的になっています。

べ　当たり前だ。ホルムズ海峡を通じて、あの中東には〝素晴らしい〟世界が展開していくだろう。

アメリカも国力が落ちていくだろうなあ。

酒井　そういう世界戦略があって、今年は重要なのですか。

べ　俺は日本だけを見てないんだよ。

「なぜ俺がエル・カンターレを見てるか」っていったらな、エル・カンターレが世界戦略を見てるから、邪魔しに来てるんだよ。

前も言っただろうが、「国内に収まってろ」と。

酒井　しかし、あなたは、そんなことを言いながら、「週刊文春」の編集長とか、そういう小さいところに攻めてきていますが。

べ　まあ、あんなの、子飼いの第一部隊だよ。

酒井　あなたが直接指示しているわけですよね？

べ　おまえたちは第一部隊にもうアップアップじゃないか。ハッハッハ。

里村　アップアップではありません。むしろ、こちらは「尻尾《しっぽ》をつかまえた」と思っています。それで、今回、こういうかたちで、あなたをお呼びしているわけです。

酒井　あなたは証拠を残しすぎですよ。

べ　えっ？

酒井　みんな、あなたのことを語ります。

べ　違うよ。俺が……。

酒井　自分の名前を売ろうとして、みんなに言いすぎているのではないですか。

べ　違う。俺の名前が今はびこってるのは、俺がそれだけ幅広く動いてるからだよ。

酒井　今、一生懸命、動いているのでしょう？　霊言に出てくる地獄霊たちに一生懸命ささやいて。

べ　だいたい、「ベルゼベフ」っていう名前が大して出てこなかっただろ、おまえらの教団では。

里村　今までのことですね？

酒井　それで、出したいわけですか。

べ　なんで出てきたと思ってるんだよ。

里村　悔しかったのですか。

べ　違うわ。おまえらが世界戦略を本気で考え始めただろうが。だから、俺が出てきてやってるんだ、今。

## 習近平《しゅうきんぺい》には戦争系の悪魔が憑《つ》いている

里村　昨年は、大川総裁のアジア・ミッションがありました。また、今年一月には、中国で当会の影響力が大きくなったがゆえに、中国でも一定の動きがありました。

べ　早めに言っておいたほうがいいよ。中国の幸福の科学の信者は、全員、皆殺しに遭《あ》うよ。早めに避難勧告・命令をさあ……。

里村　中国のほうには、あなたは力を発揮していないですよね?

大川隆法　習近平には別のものが憑《つ》くでしょうね。というか、すでに憑いているでしょう。近づいていると思いますね。

酒井　習近平には入れない?　あなたの力では入れないのでしょう?

べ　習近平は……。

大川隆法　あっちには大きなものがいるような気がします。

酒井　大きいのが来ていて、あなたが勝てない相手がいる？

べ　違う。共同戦線というか、目的は一緒なんだよ。

酒井　いや、それはルシフェルだってそうでしょう。だけど、あなたたちは喧嘩しているではないですか。

べ　うんうん。

綾織　習近平に入っているのは、どういう存在ですか。

べ　仲間うちのことは言ってはいけないことになっている。

酒井　言うのが怖い？

べ　怖いとか、そういう問題じゃないんだよ。言ってはいけないことになってるんだ。

酒井　あなたにも怖い人がいるわけですね。

べ　「怖くはない」と言ってるだろうが。

酒井　では、なぜ言えないのですか。

べ　違う。俺ら悪魔の行動はなあ、お互いに言わないことになっているんだ。

酒井　あなたは、ルシフェルに、「どうの、こうの」とか言っているではないですか。

べ　言ってない。

酒井　あなたは矛盾していますよ。

べ　ルシフェルの行動は……、基本は……、俺は言わんわ。

酒井　言ったではないですか。「新潮に入ってバカだ」とか何とか。

べ　ルシフェルの動きとしては、新潮なんか、小さい話だろう。

酒井　ルシフェルとあなたとでは、「役割が違う」と言っていましたよね？

べ　ああ、違うだろうなあ。

酒井　とにかく、「習近平には、もう一人、悪魔がいる」ということですね。

べ　習近平は、違う目的のために……。だって、あいつの目的は中華圏の拡大だろう？

大川隆法　これは、おそらく戦争系の悪魔でしょう。これが憑いてきたら……。

べ　大量の殺戮が起きるだろうな。十三億人いれば、数億人が死んだところで、何とも思わんだろう。

酒井　北朝鮮は、あなたの範疇《はんちゅう》ではないのですか。

べ　うーん。北朝鮮については遠目で見とる感じだ。

酒井　あなたの担当は、ヨーロッパ、アメリカ、中東ですか。

べ　まあ、基本は中東とアメリカだな。

里村　中東とアメリカ、そして、今、日本のほうで……。

べ　おまえたちが余計なことをするから、今、出てきてやってるんだ。

## ベルゼベフは、現在の財務省事務次官に親近感を感じている

綾織　あなたは、お金にかなり関心があるようですが、財務省の人とも話をしていますか。

べ　財務省？　あのなあ、俺は何度も言うけど、そんな、ちんけなことはやんねえんだよ。

里村　いや、大きいですよ。

綾織　場合によっては、日本の経済を沈没させることができます。

べ　俺の子飼いの部下たちが、かかわっているかもしれんがなあ。

酒井　かもしれない？

べ　俺が、いちいちなあ、財務省に取り憑いてだなあ……。

酒井　事務次官あたりには、かかわっているのですか。

べ　事務次官？　名前は、なんて言うんだ？

綾織・里村　勝栄二郎《かつえいじろう》事務次官です。

べ　勝栄二郎？　うんうん。なんか、親近感はある感じがする。

酒井　親近感はある？

べ　ただ、俺が、直接、指導はしてねえよ。

里村　先ほど、島田編集長は、「財務省系の人から、いろいろな要請があって、今回、こういう記事が出ている」ということを話していました。お金への執着のところでは、つながっているわけですよね？

べ　うーん。つながってるかもしれんが、俺様の仕事ではない。

酒井　日銀の政策転換は、あなたとしては嫌だったのですか。それとも、そんな細かいことは分からない？

べ　まあ、あの程度は大したことねえよ。

里村　株価のほうは敏感に反応して、どんどん上がっています。

べ　そんなの一時期のもんだよ、一時期の、もう……。あの総裁のやることなんか……。いずれ、また、ヘマをやるわ。ハッハッハ。

里村　悪魔に税金についての話を訊くのもおかしいのですが、やはり、増税はしなければ駄目ですか。

べ　まあ、増税しようが何だろうが、関係ない。俺は、どっちでもいいわ。

酒井　あなたは「日本の経済を潰す」と言ったではないですか。

べ　まあ、そうだよな。

酒井　経済にはあまり詳しくないのですね。

そういえば、先ほどの編集長守護霊は、「あなたは最近のことをよく知らない人なので、あなたの戦略は使いものにならない」と言っていました。

べ　あいつは、そんなことを言っていたのか。あいつはクビだな。あいつみたいな浅はかな知恵のやつには、見えていないんだ。

酒井　「あいつは古くて駄目だ」とも言っていました。

べ　あんな雑魚《ざこ》はな、俺の言うことをきいとりゃいいんだよ。

酒井　あなたは、要するに、最近の経済のことは知らないでしょう？

べ　えっ？　いや、俺はもっと大きく交響曲を奏でているんだ。

酒井　要するに、「知らない」ということですね？

べ　あのな、悪魔というのはな、人の心の隙に入れるんだよ。

酒井　いや、やはり、エル・カンターレの智慧のほうが、あなたの数千倍も数万倍も高いのです。

べ　フン。じゃあ、早く日本経済を回復させてみろよ。

里村　今、そういう方向に持っていっているわけです。

べ　世の中は、信仰よりもなあ、カネや地位や名誉のほうに、みんな思いが強いんだよ。おまえらがいくら頑張ったってな、日本経済は復活しないよ。

## 「活字に入ってくる悪魔」とは、ベルゼベフのこと

綾織　あなたは、マスコミのかなりの部分を操っている状態だと思いますが。

べ　ああ、そうだよ。

綾織　週刊誌系が中心であると思いますが、新聞やテレビ関係も、ところどころ操っ

ている状態ですか。

べ　おまえらの報道はしないように、一生懸命、情報統制をしておるよ。

里村　あなたが止めているわけですね。

酒井　シュタイナーが「活字に入ってくる悪魔」と言ったのは……。

べ　うるせえな、おまえは。

酒井　やはり、あなたのことですか。

べ　うるせえな。うるせえな。うるせえんだよ！

酒井　図星ですね？　あなたが「うるせえ」と言うときは、「イエス」ということですよね？　いつも、そうですけれども。

べ　うるさいんだよ。

酒井　シュタイナーがおっしゃっていたのは、あなたのことなんですね？

べ　いや、「〝神の声〟を文字を通じて伝える」ということだ。
綾織　「日本のマスコミを操っているトップは、ベルゼベフ」ということでいいですよね？
酒井　編集長の守護霊は、あなたのことを「情報系だ」と言っていました。
べ　フン。情報系？　バカ。「俺は、もっと世界を見てる」って言ってるだろうが。
里村　先ほど、編集長の守護霊は、「あなたのライバルは七大天使のガブリエルである」と言っていましたが、そうですか。
べ　あいつも世界中を飛び回っているんだろう？
酒井　ガブリエルが？
べ　俺も世界中を飛び回ってる。そういう意味だよ。
酒井　ああ、ライバルですか。

べ　ライバルじゃねえよ。俺は、あんな雑魚に負けねえよ。世界中で、これだけ紛争が起き、戦争が起きているなかで、何が「天使が勝ってる」だ。ハハッ。

里村　しかし、まだ最終戦争には至っていません。明らかに、止めようとする力が働いているのです。

べ　今はな。

酒井　「今は」というか、歴史を見ても、あなたが最後に勝ったことはないですよね？

べ　いや、今、地獄人口が増えて増えて増えまくってるじゃないか。

里村　それは、地球の人口が増えているだけの話です。

べ　ええ？　違うわ。地獄の人口が、どんどん、どんどん増えて、憎しみが憎しみを生んでるんだよ。貧乏が戦争を生んでるんだよ。

里村　その一方で、あなたには見えないかもしれませんが、新しい菩薩や如来、天使や大天使が誕生しています。そういう事実もあります。

べ　そんなの知るか。

里村　自分にとって都合の悪いことは知らないのでしょう？

べ　如来や天使たちは、迫害を受けて、どんどん死んでいってるじゃないか。ハハッ。

## ベルゼベフは、情報操作によって、人の心を支配しようとする

酒井　とにかく、「あなたは情報操作をしたい」ということですよね？　「情報操作をして、この世の中を混乱させたい」と？

べ　うん。情報っていうのは、人の心を支配するんだな。結局、人間っていうのは、普段、耳に入る言葉や情報によって、心が支配されていくんだよ。日本国民っていうのはバカだからな。宗教がないからな。

里村　宗教がないからバカなのですか。

べ　ハッ。俺たちの言うことを、よーくきくんだよ、ほんとに。うん。

里村　ということは、やはり、正しい信仰を持っている人は、あなたたちの情報には踊らされないわけですね？

べ　いや、間違った信仰を持ってるやつが、おまえらみたいに、おかしな虚言《きょげん》を吐《は》くんだ。

　ただ、おまえらみたいなやつは、世間には認められない。

里村　しかし、認めてくださる人もだんだん増えています。

べ　いないよ。全然いないよ。

大川隆法　これは具体的なものを何も握っていませんね。

里村　ああ。

大川隆法　あまり相手にしても、しかたがないと思います。具体的なものを何も握っておらず、ポワッと抽象的なところしか捉えていません。

それでは、終わりにしましょうか。

里村　はい。ありがとうございました。

大川隆法　（チャネラーに）はい、精神統一をしてください。（ベルゼベフに）出なさい！　（二回、柏手《かしわで》を打つ）

酒井　ありがとうございました。

大川隆法　これでいいですか。菊池寛まではよろしいですか。

里村　はい。結構でございます。

酒井　ありがとうございました。

大川隆法　ご苦労様でした。

## あとがき

名誉欲、地位欲、権力欲、財産欲、相手を破滅《はめつ》させる嫉妬にもとづく愛欲などの諸欲のコントロールは実に難しいものだ。もとより、自己を客観視し、反省する心があれば、その身を守り切ることもできるが、たいていは悪魔が忍び寄ってきて、その身を破滅させる。

仏陀《ぶっだ》への信仰心を持たぬ文殊菩薩《もんじゅぼさつ》もありえなければ、悪魔の声を神の声と聞き違えて、唯物論の人生を生きるナイチンゲールもいない。

夫に長らく愛され、護《まも》られてきたことがわからず、その天命に殉《じゅん》じようとする志《こころざし》がわからず、何度口にスープを運ぼうとも、その味を知らない銀のスプーンであるならば、宗教家の妻としては失格だろう。きょう子よ、あなたの夫は救世主《きゅうせいしゅ》として生まれ、生きている。その心がわからないなら、潔《いさぎよ》く去るがよい。悪魔と不倫する妻は近くには置けないのだ。

二〇一二年　二月二十四日

幸福《こうふく》の科学《かがく》グループ創始者兼総裁《そうししゃけんそうさい》　大川隆法《おおかわりゅうほう》

『「週刊文春」とベルゼベフの熱すぎる関係』大川隆法著作関連書籍

『現代の法難①――愛別離苦』（幸福の科学出版刊）
『現代の法難②――怨憎会苦』（同右）
『現代の法難③――ハトホル信仰とは何か』（同右）
『現代の法難④――朝日ジャーナリズムの「守護神」に迫る』（同右）
『「週刊新潮」に巣くう悪魔の研究』（同右）

「週刊文春《しゅうかんぶんしゅん》」とベルゼベフの熱《あつ》すぎる関係《かんけい》

――悪魔の尻尾の見分け方――

2012年3月7日　初版第1刷

著　者　　大《おお》川《かわ》隆《りゅう》法《ほう》

発行所　　幸福の科学出版株式会社

〒142-0041 東京都品川区戸越1丁目6番7号
TEL(03)6384-3777
http://www.irhpress.co.jp/

印刷・製本　株式会社 堀内印刷所


ISBN978-4-86395-186-0 C0036
Photo: ©jag_cz ©LoopAll ©arnovdulmen (Fotolia.com)

## 大川隆法 ベストセラーズ・現代の法難

# 現代の法難④

**朝日ジャーナリズムの「守護神」に迫る**

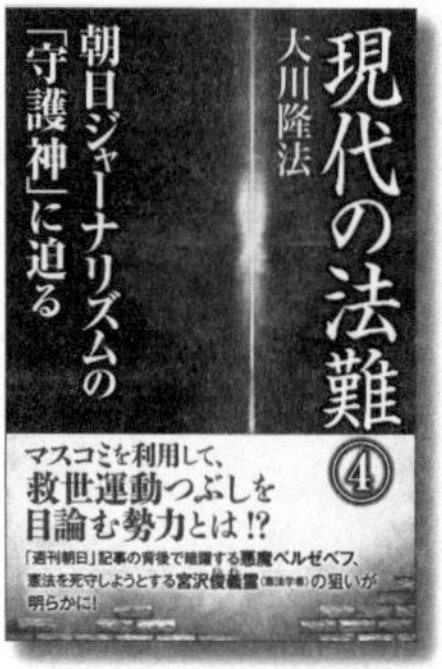


マスコミを利用する悪魔ベルゼベフ。国論を左右しようとする憲法学者の霊。砂上に立つ戦後マスコミ民主主義に警鐘を鳴らす一書。

1,500円

# 「週刊新潮」に巣くう悪魔の研究

**週刊誌に正義はあるのか**

ジャーナリズムに潜み、世論を操作しようとたくらむ悪魔。その手法を探りつつ、マスコミ界への真なる使命の目覚めを訴える。

1,400円

# ナイチンゲールの真実

**信仰と献身の美徳を語る**

ナイチンゲールが公開霊言に登場。医療に携わる者としての神への献身、現代医療の問題点、自らの生まれ変わりと使命について語った。

1,000円

※表示価格は本体価格(税別)です。

## 大川隆法 ベストセラーズ・希望の未来を切り拓く

### 不滅の法

**宇宙時代への目覚め**

「霊界」、「奇跡」、「宇宙人」の存在。物質文明が封じ込めてきた不滅の真実が解き放たれようとしている。この地球の未来を切り拓くために。

2,000円

### 繁栄思考

**無限の富を引き寄せる法則**

豊かになるための「人類共通の法則」が存在する。その法則を知ったとき、あなたの人生にも、繁栄という奇跡が起きる。繁栄の未来を拓く書。

2,000円

### 天照大神のお怒りについて

**緊急神示 信仰なき日本人への警告**

無神論で日本を汚すことは許さない！日本の主宰神・天照大神が緊急降臨し、国民に厳しい警告を発せられた。

1,300円

# 幸福の科学グループのご案内

**宗教、教育、政治、出版などの活動を通じて、地球的ユートピアの実現を目指しています。**

## 宗教法人　幸福の科学

一九八六年に立宗。一九九一年に宗教法人格を取得。信仰の対象は、地球系霊団の最高大霊、主エル・カンターレ。世界九十カ国以上に信者を持ち、全人類救済という尊い使命のもと、信者は、「愛」と「悟り」と「ユートピア建設」の教えの実践、伝道に励んでいます。

（二〇一二年三月現在）

公式サイト
**http://www.happy-science.jp/**

## 愛

幸福の科学の「愛」とは、与える愛です。これは、仏教の慈悲《じひ》や布施《ふせ》の精神と同じことです。信者は、仏法真理をお伝えすることを通して、多くの方に幸福な人生を送っていただくための活動に励んでいます。

## 悟り

「悟り」とは、自らが仏の子であることを知るということです。教学《きょうがく》や精神統一によって心を磨き、智慧《ちえ》を得て悩みを解決すると共に、天使・菩薩《ぼさつ》の境地を目指し、より多くの人を救える力を身につけていきます。

## ユートピア建設

私たち人間は、地上に理想世界を建設するという尊い使命を持って生まれてきています。社会の悪を押しとどめ、善を推し進めるために、信者はさまざまな活動に積極的に参加しています。

国内外の世界で貧困や災害、心の病で苦しんでいる人々に対しては、現地メンバーや支援団体と連携して、物心両面に渡り、あらゆる手段で手を差し伸べています。

年間３万人を超える自殺者を減らすため、全国各地で街頭キャンペーンを展開しています。

公式サイト
**http://www.withyou-hs.net/**

ヘレン・ケラーを理想として活動する、ハンディキャップを持つ方とボランティアの会です。視聴覚障害者、肢体不自由な方々に仏法真理を学んでいただくための、さまざまなサポートをしています。

公式サイト
**http://www.helen-hs.net/**

# 教育

## 学校法人 幸福の科学学園

幸福の科学学園中学校・高等学校は、幸福の科学の教育理念のもとにつくられた学校です。人間にとって最も大切な宗教教育の導入を通じて精神性を高めながら、ユートピア建設に貢献する人材輩出を目指しています。

**幸福の科学学園**
**中学校・高等学校**（男女共学・全寮制）
2010年4月開校・栃木県那須郡

**TEL** **0287-75-7777**
公式サイト
**http://www.happy-science.ac.jp/**

関西校（2013年4月開校予定・滋賀県）
幸福の科学大学（2016年開学予定）

**仏法真理塾「サクセスNo.1」**

小・中・高校生が、信仰教育を基礎にしながら、「勉強も『心の修行』」と考えて学んでいます。

**TEL** **03-5750-0747**（東京本校）

心の面からのアプローチを重視して、不登校の子供たちを支援しています。

**不登校児支援スクール「ネバー・マインド」**

幼少時からの心の教育を大切にして、信仰をベースにした幼児教育を行っています。

**エンゼルプランV**

NPO
活動支援

学校からのいじめ追放を目指し、さまざまな社会提言をしています。また、各地でのシンポジウムや学校への啓発ポスター掲示等に取り組むNPO「いじめから子供を守ろう！ネットワーク」を支援しています。

公式サイト **http://mamoro.org/**

ブログ **http://mamoro.blog86.fc2.com/**

相談窓口 **TEL.03-5719-2170**

政治

## 幸福実現党

内憂外患《ないゆうがいかん》の国難に立ち向かうべく、二〇〇九年五月に幸福実現党を立党しました。創立者である大川隆法党名誉総裁の精神的指導のもと、宗教だけでは解決できない問題に取り組み、幸福を具体化するための力になっています。

党員の機関紙
「幸福実現News」

TEL 03-3535-3777
公式サイト
http://www.hr-party.jp/

出版
メディア
事業

## 幸福の科学出版

大川隆法総裁の仏法真理の書を中心に、ビジネス、自己啓発、小説など、さまざまなジャンルの書籍・雑誌を出版しています。他にも、映画事業、文学・学術発展のための振興事業、テレビ・ラジオ番組の提供など、幸福の科学文化を広げる事業を行っています。

TEL 03-6384-3777
公式サイト
http://www.irhpress.co.jp/

# 入会のご案内

## あなたも、幸福の科学に集い、ほんとうの幸福を見つけてみませんか？

幸福の科学では、大川隆法総裁が説く仏法真理をもとに、
「どうすれば幸福になれるのか、また、
他の人を幸福にできるのか」を学び、実践しています。

### 入会

大川隆法総裁の教えを学ぼうとする方なら、どなたでも入会できます。入会された方には、『入会版「正心法語」』が授与されます。（入会の奉納は1,000円目安です）

**ネット**でも**入会**できます。詳しくは、下記URLへ。

### 三帰《さんき》誓願《せいがん》

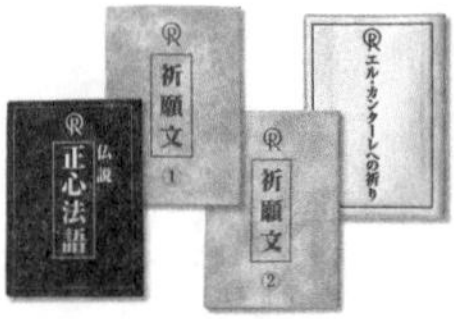


仏弟子としてさらに信仰を深めたい方は、仏・法・僧の三宝への帰依を誓う「三帰誓願式」を受けることができます。三帰誓願者には、『仏説・正心法語』『祈願文①』『祈願文②』『エル・カンターレへの祈り』が授与されます。

### 植福《しょくふく》の会

植福は、ユートピア建設のために、自分の富を差し出す尊い布施の行為です。布施の機会として、毎月1口1,000円からお申込みいただける、「植福の会」がございます。

「植福の会」に参加された方のうちご希望の方には、幸福の科学の小冊子（毎月1回）をお送りいたします。詳しくは、下記の電話番号までお問い合わせください。

月刊「幸福の科学」

ザ・伝道

ヤング・ブッダ

ヘルメス・エンゼルズ

INFORMATION
**幸福の科学サービスセンター**
TEL. **03-5793-1727**（受付時間 火〜金:10〜20時／土・日:10〜18時）
宗教法人 幸福の科学 公式サイト **http://www.happy-science.jp/**